O vento mudou de direção

FÓSFORO

SIMONE DUARTE

O vento mudou de direção

O Onze de Setembro que o mundo não viu

Às vítimas inocentes do Onze de Setembro e da Guerra ao Terror

Se cada um lutasse apenas por suas
convicções não haveria guerra.

Liev Tolstói
Guerra e paz

Esta é a guerra mais covarde de todas,
a guerra dos políticos, cheia de mentiras.

Nuha Al-Raid
Diários de Bagdá

Introdução

O táxi me esperava em frente ao edifício. Abri a porta, cumprimentei o motorista e partimos. Seria ele afegão, iraquiano ou paquistanês? Não saberia dizer. Há muitos motoristas estrangeiros em Nova York. Não conversamos.

Um silêncio me atingiu como se fosse um grito. Vinha da Terceira Avenida deserta, sem carros, sem gente, sem o habitual som das sirenes e buzinas, sem lojas nem restaurantes abertos. Quem diz que o som do silêncio não existe não sabe o que fala. Na madrugada de 12 de setembro de 2001, eu ouvi. Teria sido mais sensato ter permanecido na redação. Só restava meia hora do meu tempo, mas tinha que ir para casa. Ao menos para sentir a água do chuveiro tocando o corpo, deitar no colchão por alguns minutos, escolher uma roupa como se fosse um dia qualquer. Precisava dessa realidade banal.

Próximo da esquina com a rua 96 já conseguia ver a mesquita. O condomínio de apartamentos onde eu morava ficava em frente à grande mesquita de Manhattan. Despedi-me do taxista.

Senti um cheiro forte de gás logo na entrada do hall gigantesco, mobiliado daquele jeito impessoal dos altos edifícios residenciais da cidade. Avancei para os elevadores. Apertei o botão do vigésimo andar. O cheiro se tornava mais forte à medida que subia, estava impregnado nos corredores e invadia o apartamento. Telefonei para a portaria. Precisava de uma explicação. Foi um dia muito longo. Podia estar com alucinações. "Não há vazamento", garantiu a voz do outro lado. "É a fumaça que vem do World Trade Center. É que o vento mudou de direção."

Em 2001, eu chefiava a redação da TV Globo, em Nova York. Na manhã de 11 de setembro, logo depois de o segundo avião se chocar contra a Torre Sul do World Trade Center, eu entrei no ar ao vivo, por telefone, e, por cerca de duas horas, narrei os acontecimentos ao público brasileiro, incluindo o ataque ao Pentágono e a queda da primeira torre. Durante dezoito anos, não tive coragem de ouvir nem de ver a transmissão. A iminência do vigésimo aniversário dos atentados e uma viagem ao Paquistão acabaram por me mostrar a história que eu devia contar.

Assim nasceu este livro sobre a vida de seis pessoas — afegãs, iraquianas e paquistanesas — dos países arrasados pelas consequências dos atentados às Torres Gêmeas. E também de um jordaniano de origem palestina. Como me resumiu um deles: "Os americanos tiveram um Onze de Setembro, nós vivemos o nosso Onze de Setembro até hoje".

Ao longo de dois anos e meio, entrevistei, acompanhei e reconstituí a vida de Ahmer, um rapaz treinado para ser um menino-bomba; do jornalista Baker Atyani, escolhido por Osama bin Laden para anunciar um grande atentado; do general Ehsan Ul-Haq, ex-espião-chefe do equivalente à CIA paquistanesa; da poeta iraquiana Faleeha Hassan, obrigada a viver no país invasor; de Gawhar, uma afegã que fugiu da ocupação militar americana rumo à Europa; da jovem iraquiana Gena, que fugiu para a Síria, onde cairia em outro conflito sangrento; e de Rafi, um afegão que atravessou oito países para escapar do Talibã. Com exceção de Ahmer, o menino treinado pelo Talibã paquistanês, todos são pessoas de classe média ou média alta. Pessoas com vidas semelhantes às das vítimas dos ataques de 2001.

Naquela manhã de setembro, dezenove terroristas da Al-Qaeda, organização extremista islâmica liderada por Osama bin Laden, sequestraram quatro aviões comerciais com passageiros, lançaram dois contra as Torres Gêmeas do World Trade Center, em Nova York, e um contra o Pentágono, sede do poder militar da maior potência do mundo, em Washington, DC. O quarto avião caiu na Pensilvânia. No total 2977 pessoas morreram. Até hoje foi o ataque terrorista mais midiático da história, acompanhado ao vivo por dois bilhões de pessoas em todo o mundo.

Em 1993, militantes ligados à Al-Qaeda haviam explodido uma bomba na garagem do World Trade Center. Em 1996, Osama bin Laden declarou Guerra Santa contra os Estados Unidos exigindo a retirada das tropas americanas da Arábia Saudita onde está Meca, a cidade sagrada dos muçulmanos. Entre 1996 e 2000, a Al-Qaeda foi responsável por atentados contra alvos militares dos Estados Unidos na Arábia Saudita, contra as embaixadas americanas no Quênia e na Tanzânia e contra o destróier *USS Cole*, no Iêmen.

Em resposta ao Onze de Setembro, os Estados Unidos de George W. Bush proclamaram a chamada Guerra ao Terror e formaram uma coalizão de quarenta países com o objetivo de destruir a Al-Qaeda e de capturar Osama bin Laden. O terrorista vivia no Afeganistão, um dos países mais pobres do mundo, governado pelo Talibã de 1996 a 2001.

No dia 7 de outubro de 2001, os caças americanos e britânicos começaram a bombardear o Afeganistão. O poderio militar dos Estados Unidos e de seus aliados tirou o Talibã do poder, mas não conseguiu capturar Osama bin Laden, detendo-o apenas em 2011. A guerra do Afeganistão durou vinte anos. Foi o conflito militar mais longo da história americana.

Em 20 de março de 2003, os Estados Unidos iniciaram outra guerra, dessa vez contra o Iraque de Saddam Hussein, alegando que o país escondia armas químicas, que nunca foram encontradas. O Iraque não tinha qualquer ligação com os atentados de Onze de Setembro.

Com Saddam derrotado e sob a ocupação militar estrangeira, a violência sectária entre xiitas e sunitas se generalizou pelo país. Como resposta direta à ocupação militar americana, surgiu o Estado Islâmico, ainda mais extremista e violento do que a Al-Qaeda, que iria espalhar o terror no país e na vizinha Síria. As tropas americanas só deixaram o Iraque em 2011. Mas o caos e a violência não cessaram.

Osama bin Laden foi assassinado no Paquistão, dez anos depois dos ataques a Nova York e Washington, numa das operações mais secretas das forças especiais americanas.

No Afeganistão, em vinte anos de guerra, morreram mais de 157 mil pessoas; no Iraque, de 2003 até hoje, dez anos depois de as tropas americanas se retirarem do país, foram mortas entre 308 e 600 mil; e no Paquistão, o aliado dos Estados Unidos na Guerra ao Terror, 70 mil.

As violações de direitos humanos por militares americanos, como os abusos e a tortura em prisioneiros, muitas vezes inocentes, na prisão de Abu Ghraib, no Iraque, e na base de Guantánamo, em Cuba, geraram ainda mais ressentimento nas populações desses países.

A Guerra ao Terror provocou mais radicalização religiosa, conflitos internos, forçou milhões de pessoas a abandonar suas casas e a fugir para outros países, aumentando ainda mais o preconceito em relação a muçulmanos e árabes. Dizem que o mundo nunca mais foi o mesmo depois do Onze de Setembro. Para Rafi, Gawhar, Faleeha, Gena, Ahmer, Ehsan e Baker, tudo mudou para sempre. Estas são as minhas memórias das memórias deles.

SIMONE DUARTE

Parte 1

Instantâneos 1977-2001

RAFI

Cazaquistão

Era como se ele estivesse num caixão vertical, com as costas prensadas numa chapa quente, insuportavelmente quente. Sentia-as ardendo. O compartimento era tão estreito que mal podia se mexer — uma minicasa das máquinas do trem. Ele não conseguia respirar. O nariz encostava na porta trancada, todo o seu corpo parecia colado à porta. Rafi havia sido o último a se esconder. A polícia estava prestes a entrar no vagão, e eles o jogaram e o trancaram ali. A cada cinco minutos, a vida ia lhe escapando. Era verão, devia estar quente lá fora, mas ali dentro era o inferno. Começou a achar que estava perdendo os sentidos, a respiração suspensa, o coração batendo mais rápido, quase a explodir.

Disseram para ele não se mexer, não falar, devia ficar quieto senão a polícia descobriria e o mandaria de volta ao Afeganistão. Precisava respirar. Juntou as mãos num esforço hercúleo e tentou empurrar a porta com a força do desespero. Por uma fresta mínima viu um policial passar e pensou no que era realmente importante. Tentou se acalmar. Esperou o policial, mas poucos minutos depois não resistiu. Começou a bater na porta, pediu socorro, gritou dizendo que não tinha mais oxigênio, que ia morrer. Ninguém ouviu. Aos vinte anos, Rafi não tinha dúvidas de que iria morrer na fronteira do Cazaquistão com a Rússia, não na Europa, não em um país seguro, nem junto aos seus pais em Cabul.

GAWHAR
Afeganistão

Corria à velocidade do medo, medo de que o homem as alcançasse. A irmã corria junto sem olhar para trás. Gawhar estava a milésimos de segundo de largar os chinelos pelo caminho e correr ainda mais rápido. Justamente no dia em que usava o vestido cor-de-rosa de bolinhas tão bonito que a mãe costurara com a máquina que tinha em casa. Mas não há tempo para pensar no vestido nem nos chinelos, muito menos na água. Haviam saído de casa com as garrafas vazias para encher na única torneira de água potável do bairro. Distraídas, nem repararam que os homens estavam saindo da mesquita depois da oração. Foi quando um deles passou a correr em sua direção com a pergunta fatal: Por que você não está usando o véu?

Corriam cada vez mais rápido. Chegaram por fim em casa e trancaram a porta. O coração aos pulos. Dois corações aos pulos. Por dez minutos, permaneceram assim, atrás da porta, esperando que alguém batesse e perguntasse por elas. Ninguém veio. Foi a partir desse dia que entendeu que algo havia mudado e que não podia mais sair de casa sem usar o véu. Mas por que uma menina de sete anos precisava mesmo cobrir a cabeça e se esconder?

Como Gawhar gostava daquele vestido cor-de-rosa.

FALEEHA
Fronteira Irã-Iraque

Faleeha saiu sozinha de casa em Najaf e entrou no caminhão repleto de soldados e de mulheres, a maioria viúvas, vestidas de preto, à procura dos filhos. Todas choravam. Parecia um coro. Aos vinte anos, era a primeira vez que Faleeha ia à linha de frente, ao campo de batalha. A guerra entre o Iraque e o vizinho Irã já durava oito anos. O pai não mandava notícias havia três meses. A mãe estava em desespero. Precisava encontrá-lo.

O coração estava apertado. Avistou o pai. A reação dele foi a pior possível. Ficou zangado, gritou que ela não deveria ter vindo. Mas o comandante se emocionou ao ver a filha que buscava o pai e deixou os dois voltarem juntos para casa. Na estrada, viram uma bomba atingir um caminhão militar e jovens explodirem pelos ares. Pedaços de corpos voaram para todas as direções. Era o prenúncio de uma vida que seria contada de guerra em guerra.

GENA
Iraque

Com apenas cinco anos, acordou em choque, com todo o seu corpo tremendo. A sirene era ensurdecedora, os bombardeios iam começar. Gena disparou junto com as três irmãs, o irmão e a mãe para o corredor sem janelas nem espelhos. Sentaram-se no sofá, agarraram-se todos grudados de tão próximos. As crianças choravam. A mãe chorava e rezava. O pai não estava em casa. A mãe não sabia o que fazer. Ligou para o avô de Gena. Era uma da manhã, madrugada em Bagdá. O pai de Gena nunca estava em casa.

AHMER
Paquistão

Ahmer olhava para a bola, hipnotizado. Concentrava-se e corria atrás dela como se não houvesse ninguém à frente. Driblava o outro menino e fazia o gol. Corria para festejar. Não havia plateia. Os pais, muito pobres, não tinham tempo para ele nem para os irmãos. Nunca perguntavam para onde ia. Com cinco anos faz o que quer na minúscula aldeia do vale do Swat, no noroeste do Paquistão, berço da civilização budista Gandara, com paisagens que a rainha da Inglaterra comparou aos alpes suíços. A quinhentos quilômetros do vale, numa corrida contra o relógio, o motorista da neuropsicóloga Feriha Peracha dirigia o mais rápido que podia pelas ruas movimentadas de Lahore para ela não se atrasar ao consultório de classe alta da cidade mais liberal do Paquistão. Ahmer e Feriha transitam em dois mundos opostos, nem desconfiam que um dia mudarão a vida um do outro.

EHSAN UL-HAQ
Irã

Como um ímã, Ehsan foi atraído em direção à arquibancada. Era possível vê-lo chegar à distância. O homem entrou na tribuna vazia, sentou-se sozinho, isolado das outras 6 999 pessoas que lotavam o estádio. Os cavalos estão saltando, mas o que chama a atenção do jovem oficial paquistanês não é o espetáculo equestre. Estranho que nem os ministros, nem a família, nem a rainha ficam ao lado do xá Reza Pahlavi. Ele estava sozinho sentado numa cadeira, num lugar onde cabiam mil pessoas, calculava Ehsan Ul-Haq. Havia algo muito esquisito no reino do xá.

Ehsan nunca se esquecerá daquele dia de 1977, a imagem do homem mais poderoso do Irã, desconectado do seu povo, assistindo aos cavalos saltarem. O poder pode ser traiçoeiro.

BAKER ATYANI

Kuwait

Baker agarrou a pequena câmera que tinha em casa e saiu. É um apaixonado por fotografia. Tenta ser o mais discreto possível, esconde-se ao fotografar as tropas de Saddam Hussein marchando pelas ruas da capital do Kuwait. Fotografou casas ardendo em chamas e tudo o que viu pela frente.

Era o verão de 1990, o jordaniano Baker Atyani tinha 22 anos, vivia com a família na cidade do Kuwait e testemunhou a ocupação iraquiana que provocou a primeira Guerra do Golfo. Não faz a menor ideia de que um dia vai trabalhar como jornalista e entrevistar o homem mais procurado do mundo.

A véspera

RAFI

Ucrânia

Os imigrantes clandestinos dormem amontoados e quase não veem a luz do dia, raramente são levados para fora. Pela manhã trazem dois pedaços de pão com manteiga e chá. A vida no porão é insuportável e todos estão impacientes. Rafi pede por mais um milagre. Passou a acreditar neles quando escapou da morte no trem na fronteira do Cazaquistão com a Rússia. Abriram a porta, ele caiu desmaiado do compartimento que o sufocava, mas estava vivo. A cada país, novos riscos, novos perigos. Já foram cinco desde que saiu em fuga de Cabul, sua cidade natal: Paquistão, China, Quirguistão, Cazaquistão, Rússia. Neste momento, está num porão na fronteira da Ucrânia. São afegãos, iraquianos, paquistaneses, somalis. Para os traficantes de pessoas eles são todos iguais e não valem nada. É quase fim da tarde. Sasha, o russo que os vigia, traz duas asas de galinha, um pouco de arroz e água da torneira. Todo dia é assim. Rafi não aguenta mais. Nem lembra há quanto tempo está nesse subsolo em mais uma fronteira. Tudo o que gostaria é de tomar uma Coca-Cola.

GAWHAR

Peshawar, Paquistão

Gawhar corre livremente com os irmãos para não se atrasar para a aula de inglês. Seus pais fazem questão de que aprendam a língua. A vida mudou desde que chegou a Peshawar, no Paquistão. Já não é obrigada a usar o véu nem precisa fugir de nenhum talibã, pode andar sozinha para todos os lugares, usar seus vestidos e ir à escola. Gawhar é ótima aluna, tem muitas amigas e ainda há os parentes que moram na cidade. Não tem televisão, mas a mãe comprou um computador — é a primeira vez que a família tem um computador. TV e computador, dois objetos que podiam dar cadeia se ainda morassem no Afeganistão governado pelos talibãs. Hoje, dia 10 de setembro, depois da aula, se parar de chover, talvez dê tempo de ir para a cobertura de um dos prédios com o irmão soltar pipa. Tem dez anos e quer morar muitos anos no Paquistão, talvez para o resto de sua vida.

FALEEHA

Najaf, Iraque

Faleeha começa a aula. É professora de árabe para crianças com QI elevado em Najaf, cidade de maioria xiita. O árabe e a poesia são seu refúgio. Quando foi mesmo que Faleeha passou a escrever? A primeira memória da guerra é quase tão viva quanto o gesto da mão de pegar o lápis e de desenhar letras, palavras, frases no caderno. Esse gesto é indissociável do dia em que foi buscar seu pai no campo de batalha, ao barulho das bombas, dos tiros, dos mísseis, dos cães comendo pedaços de carne de corpos estendidos no meio das ruas ou do estampido surdo de homens morrendo sob seus pés. Escreve de dia, escreve à noite, escreve a toda hora, escreve para se curar. Nem acredita que já faz dez anos que publicou seu primeiro livro de poesia. Quando voltar para casa, vai tirar o caderno debaixo do travesseiro e escrever como faz todas as noites.

GENA

Bagdá, Iraque

Gena chega da escola e o primeiro movimento é o abraço da mãe, sempre seguro. Depois do almoço, vai para o jardim. A família se mudou para uma nova casa com oitocentos metros quadrados, em Adamiyah, o bairro de Bagdá onde mora quem apoia, trabalha ou é do partido do presidente Saddam Hussein. Os pais dizem que nunca se deve falar mal de Saddam. Parentes da mãe já tiveram que fugir do Iraque. Mas, aos oito anos, Gena está mais preocupada em organizar casamentos entre formigas nas folhas caídas no jardim. É a sua brincadeira predileta. Quando acabar o dever de casa, Gena vai brincar com a sua Barbie.

EHSAN UL-HAQ

Peshawar, Paquistão

A tempestade impedia que o general jogasse golfe, um esporte que adora. O campo de golfe fica bem ao lado da casa onde Ehsan Ul-Haq mora em Peshawar, desde que foi promovido a comandante do regimento no noroeste do Paquistão. A carreira militar o levou a morar em vários países. São poucos os militares paquistaneses que estiveram no Irã do xá Reza Pahlavi às vésperas da Revolução Islâmica, na Arábia Saudita, na China de Mao Tsé-tung durante a Revolução Cultural, na prestigiada academia militar de Fort Lee, nos Estados Unidos. Mas agora Ehsan voltou às origens. Este é um território que conhece bem, perto de Mardan, cidade onde nasceu na província da fronteira Noroeste, bem próxima do Afeganistão e das áreas tribais ou terra de ninguém, como são chamadas. Amanhã deve ser um dia tranquilo, e se o tempo melhorar talvez consiga jogar golfe depois do trabalho.

BAKER

Islamabad, Paquistão

Baker desembarca no aeroporto de Islamabad, capital do Paquistão, depois de uma cansativa viagem à Malásia. Desde que entrevistou Osama bin Laden, em junho, para a MBC, o canal de televisão mais visto nos países árabes — e a cúpula da Al-Qaeda garantiu que faria um grande atentado contra alvos americanos —, está obcecado em saber mais sobre como operam os movimentos militantes islâmicos radicais. Bin Laden prometera uma nova entrevista para depois do ataque e não parecia estar blefando. Amanhã, pretende ir à redação pela manhã e passar o resto do dia descansando. Talvez convide uns amigos para se reunirem em sua casa.

AHMER

Vale do Swat, Paquistão

A vida na aldeia não muda. Ahmer sai de casa e os pais não têm ideia para onde ele vai. Talvez vá jogar futebol ou críquete.

Ao vivo*

9h15

CARLOS NASCIMENTO (CN): Vamos agora voltar novamente a Nova York com Simone Duarte (SD). Simone?

SIMONE DUARTE (SD): Nascimento, está me ouvindo?

CN: Sim, Simone, e gostaríamos de entender o que aconteceu, saber se você já tem mais informação sobre o que aconteceu, se já tem outros detalhes não só sobre o primeiro, mas sobre o segundo acidente.

SD: Olha, a situação ainda é muito confusa, Nascimento. Todas as televisões americanas estão ao vivo, todas as equipes de televisão, bombeiros, polícia estão tentando chegar ao local. Está muito difícil o acesso. É bom a gente lembrar que o World Trade Center fica no centro financeiro de Nova York, que este acidente, enfim explosão, aconteceu no momento em que as pessoas estão chegando ao trabalho, então é muito provável que haja muita gente lá dentro. E que seja este acidente, esta explosão um acidente sem proporções, uma

* Este capítulo foi mantido o mais fiel possível à transmissão televisiva, com predomínio da oralidade. (N.E.)

tragédia, como a gente não via há muito tempo. O World Trade Center foi palco de uma outra tragédia, foi um outro atentado há mais ou menos dez anos. [...] Nós conseguimos falar com algumas testemunhas, com pessoas que trabalhavam em restaurantes próximos ao World Trade Center e o que eles dizem é que houve uma explosão horrível, um barulho que foi ouvido por toda a região de Wall Street, mas ninguém está entendendo muito bem o que pode ter acontecido.

9h17

CN: A esta altura da manhã, Simone, dos 50 mil funcionários, quantos já poderiam estar ali trabalhando?

SD: Olha, praticamente metade [...] é muito difícil você calcular porque, além das pessoas que estão no prédio trabalhando, você tem as pessoas que circulam por ali. Embaixo destes dois edifícios existe um grande shopping center, uma estação, várias estações de metrô, estação de trem, então é muita gente circulando num dia, e, nesta hora da manhã, esta é a hora do rush.

9h18

CN: [...] É possível saber nestes andares superiores que tipo de empresas funcionam ali?

SD: O acidente aconteceu perto do restaurante, existe um restaurante quase no topo do prédio. Ainda não se sabe se foi no restaurante. Mas é mais ou menos na altura do restaurante.

CN: Certo. Um especialista em aviação que acaba de ser entrevistado pela CNN declarou que aquela manobra feita pelo avião que bateu na segunda torre não existe nos manuais, nos procedimentos de aviação, e que tudo indica se tratar de um atentado terrorista. [...] Segundo esse especialista, houve um atentado. Nada justificaria esse choque nessas condições de tempo, de clima, que nós temos hoje em Nova York. Outras fontes confirmam isso aí, Simone?

9h19

SD: Por enquanto ainda não. Mas, como eu disse antes, as pessoas estão sem saber o que está acontecendo, todo mundo, todas as TVs estão tentando ir para lá, os bombeiros. Só para você ter uma ideia, o escritório da Rede Globo fica numa área mais ou menos a cinquenta blocos, sessenta quarteirões, e daqui você consegue ouvir as sirenes dos bombeiros, de carros de polícia, de todas as pessoas, todos esses bombeiros indo para a região. O FBI já está investigando, acaba de entrar aqui que o FBI já está investigando a possibilidade de um avião ter sido sequestrado. Existe a possibilidade de um desses aviões que se chocou com o World Trade Center ter sido um avião sequestrado.

9h20

CN: Os Estados Unidos, assim como o mundo todo, estão absolutamente perplexos diante daquilo que vimos hoje de manhã. Vocês se lembram que quando abrimos este plantão de notícias mostrávamos que o prédio, uma das Torres Gêmeas do World Trade Center, já estava pegando fogo [...] O World Trade Center é o prédio mais alto de Nova York como a gente já disse aqui, tem 417 metros de altura, 38 mil metros quadrados de lojas, e as famosas Torres Gêmeas, como você está vendo, com 110 andares.

9h22

SD: Desculpe te interromper, mas existe um plantão, há uma notícia urgente dizendo que o avião foi — há confirmação pela Associated Press —, de que um avião foi sequestrado antes da explosão.

9h25

CN: Já se sabe alguma coisa sobre possíveis feridos? Se há movimentação nos hospitais em torno, se foram retiradas muitas pessoas já dos prédios, Simone?

SD: Não, ainda não se tem essa informação. Agora lembrando de realmente se tratar de um Boeing 737, se realmente foram aviões sequestrados, fora as pessoas que estão no prédio, então a gente pode imaginar que vai ser um número muito grande de feridos e de mortos [...].

9h26

SD: O presidente Bush já foi informado do que aconteceu e se espera para qualquer momento uma declaração dele à nação sobre a explosão no World Trade Center. Então a qualquer momento o presidente Bush deve ir à televisão falar à nação sobre o que aconteceu agora há pouco [...].

9h30

SD: A CNN acaba de divulgar que um avião foi sequestrado em Boston, aparentemente, um 767 de Boston.

9h31

SD: Bush acabou a declaração dele. Foi muito breve. Ele discutia educação numa escola e o que ele disse foi que todos os esforços estão sendo feitos, que o governador de Nova York foi acionado, que o FBI foi acionado e que tudo está sendo feito para que se descubra o que aconteceu e para socorrer as vítimas.

CN: Era visível a expressão de surpresa do presidente Bush, não é, Simone? Ele se mostrava tão surpreso como qualquer espectador no mundo inteiro com esta imagem que estamos vendo.

SD: Exatamente, são imagens muito fortes que ninguém esperava ver. O World Trade Center é um símbolo de Nova York. É como se você, se for realmente um atentado, você fazer um atentado no World Trade Center ou na Estátua da Liberdade, é realmente um símbolo do centro financeiro de Nova York, da vida de Nova York [...].

9h41

SD: Desculpe interromper, Nascimento, mas a CNN acaba de dar que o Pentágono estaria pegando fogo. Uma informação exclusiva da CNN de que o Pentágono, em Washington, estaria também pegando fogo.

9h42

SD: Nascimento, para você ter uma ideia, aqui em toda a região do centro financeiro de Nova York, telefones, telefones celulares, internet, tudo isso não está funcionando. Está muito difícil ter acesso a qualquer informação porque o uso de celular, telefone, mesmo aqui, a sessenta blocos de onde aconteceu, o telefone não está funcionando muito bem, está havendo problemas com internet, ou seja, a situação lá está interferindo com o sistema de comunicação da cidade.

9h43

CN: A Simone Duarte que vocês estão ouvindo por telefone é a correspondente-chefe do escritório da TV Globo da cidade de Nova York.

SD: [...] Nenhuma das nossas equipes conseguiu chegar ao local ainda porque o trânsito parou. Há muita dificuldade de sair de onde a gente está para o centro financeiro, que fica na parte sul da ilha de Manhattan. É como se nós tivéssemos mais ou menos no meio da ilha. O World Trade Center está no sul da ilha, na ponta da ilha, e tanto a comunicação como o transporte estão muito difíceis.

9h44

SD: Mais uma informação sobre o Pentágono. Existe uma brigada neste momento retirando as pessoas do prédio do Pentágono, o órgão máximo de defesa americana, do maior exército do mundo. Os funcionários da Casa Branca também estão sendo retirados neste momento. É o pânico se espalhando não só pelo centro financeiro de Nova York, mas pelo centro de poder deste país.

9h46

SD: As Nações Unidas também estão retirando os funcionários do prédio. A ONU tem sede em Nova York. Todos os funcionários estão sendo retirados.

9h47

SD: Todos os prédios considerados alvos potenciais, os funcionários estão sendo retirados. Nós ficamos num prédio dos correios americanos, então provavelmente vão começar a retirar os funcionários daqui. Os telefones de Nova York não estão funcionando, não estamos conseguindo nos comunicar com ninguém. Os aeroportos estão fechados, as agências de notícias, a internet, a gente não consegue acessar e não é só no escritório de Nova York, isso está acontecendo em várias partes [...].

9h50

SD: Não sei se você já tem a confirmação aí, Nascimento, mas parece que foi um avião também que teria atingido o Pentágono. Acaba de vir a informação de que todos os voos estão suspensos em todo o país, ou seja, todos os aeroportos dos Estados Unidos acabam de ser fechados pela autoridade máxima de aviação do país [...].

9h53

CN: Nós estamos com alguma dificuldade aqui na comunicação com a Simone Duarte. Às vezes, vocês recebem o som com má qualidade [...] mas é preciso entender que a essa altura todo o sistema de comunicações da cidade de Nova York está sofrendo como resultado desses atentados, até porque parte do sistema de comunicação funcionava no World Trade Center. Agora imagens aí do Pentágono. O mundo está perplexo diante disso que você, telespectador, está vendo aí na tela, que Hollywood tentou em inúmeros filmes retratar [...] As bolsas de valores em todo o mundo estão com forte queda neste momento refletindo essa situação absurda nos Estados Unidos quando as duas principais cidades do país foram hoje alvo de atentados terroristas.

10h01

SD: Infelizmente a realidade superou Hollywood. O primeiro atentado aconteceu há exatamente uma hora e quinze minutos. A cidade está parada, como eu já disse, os prédios públicos todos; os funcionários estão sendo retirados, a mesma situação se repete em Washington. É uma situação inédita, nunca os americanos, o governo americano poderia imaginar que um ato terrorista ia atingir o coração do centro financeiro do país, o coração do poder, o centro do poder financeiro e do poder político dos Estados Unidos [...]. Agora, só para você ter uma ideia, Nascimento, para os telespectadores terem uma ideia, a cidade inteira de Nova York está parada. Está parada. (*Neste momento a imagem muda do Pentágono em chamas e começa a mostrar a região do World Trade Center coberta de fumaça.*) Por exemplo, uma equipe que estava no aeroporto, como os aeroportos estão fechados, não conseguiu viajar e está parada porque o trânsito não anda para nenhum lado [...].

10h03

CN (*interrompendo*): (*imagem mostra apenas uma torre de pé*) Só um instante, Simone, para dizer que todo o centro financeiro da ilha de Manhattan aí está coberto.

SD (*gritando*): A torre acaba de desabar!

CN: Desabou a torre! Desabou uma das torres do World Trade Center!

SD: Uma das torres acaba de desabar!

CN: Eu volto a repetir: o que nós estamos vendo é um fato extraordinário. Este momento é quando a torre desaba. Uma das torres atingida pelo avião desaba no centro da cidade de Nova York... (*ouve-se a voz de Simone Duarte visivelmente alterada ao fundo falando com outras pessoas.*) [...]. A segunda torre atingida pelo avião terrorista caiu, desabou. (*Vozes aflitas ao fundo na redação de Nova York.*) Agora é importante saber o que está acontecendo embaixo. Se houve tempo, se a polícia e os bombeiros tiveram tempo de isolar a região e de tirar os moradores. (*Burburinho de vozes na redação de Nova York.*)

10h04

CN: A Simone está conosco ainda?

SD: Estou sim, Nascimento.

CN: Simone, que informações se têm sobre o que acontece embaixo?

SD: Por enquanto nenhuma. A situação é muito confusa. As informações custam a chegar e realmente neste momento a gente não (*faz uma pausa*)... Espera aí, eu estou sabendo neste momento que houve uma terceira explosão em Nova York não se sabe ainda onde. Mas houve uma terceira explosão em Nova York.

CN: Bem, provavelmente esta terceira explosão seria aquela que provocou a queda da torre, né? [...] O que se vê agora é esta imensa nuvem de fumaça [...] As imagens que estamos vendo aqui hoje, eu volto a dizer, são imagens de perplexidade [...].

10h06

SD: Nascimento, foi confirmado que a terceira explosão foi realmente no World Trade Center. E foi realmente a explosão que derrubou a torre.

CN: Ou seja, então é de se supor que houvesse ali uma carga de explosivos que poria a torre abaixo?

SD: Ainda não se sabe. Da outra vez, do outro atentado, há dez anos, foi assim. Eles colocaram explosivos na garagem. Mas não se sabe ainda o que aconteceu desta vez. Mas a situação é caótica. (*Ouve-se um leve suspiro.*)

CN: [...] Certamente agora todo mundo está se perguntando se corre o risco de haver um segundo desabamento, não é? E se na parte de baixo ali os bombeiros e a polícia conseguiram fazer o isolamento [...].

SD: Nascimento?

CN: Pois não, Simone...

10h11

SD: Existem informações de testemunhas que estão vendo pessoas se jogando das janelas do World Trade Center. A gente não tem ainda a confirmação. Mas foram testemunhas que disseram para a CNN que há pessoas se jogando do World Trade Center [...].

10h13

CN: Simone, alguma outra informação sobre este atentado, quem poderia ter feito isto?

SD: Não, ainda não. Todas as televisões estão ao vivo. [...] As televisões não estão divulgando nenhum autor do atentado [...].

10h20

SD: Nascimento, um alto funcionário do Pentágono resumiu o sentimento neste momento nos Estados Unidos. Ele disse que o mundo tem que mudar depois deste ataque em termos de segurança. Todas as medidas de segurança que os americanos costumam tomar vão ter que ser repensadas [...].

10h22

SD: A cidade de Nova York está sitiada. Ninguém sai e ninguém entra [...]. Há uma informação chegando agora de que o Departamento de Estado americano também teria sido atacado. Esta informação ainda não foi confirmada. O Secretário de Estado americano que é o Colin Powell, o general Colin Powell, não está lá. Neste momento ele está em viagem no Peru e na Colômbia. [...].

10h28

CN: Esta é a outra torre, a outra torre está caindo agora. Caiu a outra torre! A segunda torre está caindo. A exemplo da primeira. Imagens ao vivo de Nova York. Está no chão o World Trade Center, um dos maiores símbolos do poder econômico dos Estados Unidos [...] O World Trade Center em Nova York não existe mais [...].

10h49

SD: Cem pessoas estão gravemente feridas, estão internadas nos hospitais perto do World Trade Center. Existe um pedido da cidade para que os moradores vão doar sangue porque há falta de sangue na cidade. [...] Agora há pouco houve uma pequena explosão, um acidente com um avião em Pittsburgh. A gente não sabe ainda se este acidente está relacionado com os outros atentados. Há informação de que o secretário de Estado Colin Powell, que estava no Peru e ia depois para a Colômbia, numa viagem para discutir tráfico de drogas, está voltando para os Estados Unidos neste momento. E a informação que estou tendo aqui é que muitas pessoas em Wall Street, que é a parte onde fica o World Trade Center, que as pessoas estão sendo vistas correndo desesperadas, cheias de queimaduras ou com algum tipo de intoxicação [...] Há confirmação pela CNN do primeiro avião — tínhamos conversado sobre isto antes —, o avião da American Airlines, que ia de Boston para Los Angeles, este avião, um 767, teria sido sequestrado. O FBI está investigando a possibilidade de sequestro de um segundo avião [...] Algumas avenidas de Nova York se transformaram em centro de atendimento de emergência, como trechos da Sétima Avenida mais ao sul de Manhattan, onde fica o World Trade Center. As duas torres, como vocês e os telespectadores já viram, caíram, desabaram, aproximadamente uma hora e quarenta minutos depois. (*Simone é interrompida.*)

10h53

SD: [...] Agora temos a confirmação de que houve mesmo um acidente com um 747 na Pensilvânia, um Boeing 747 teria explodido na Pensilvânia. A gente não sabe se este acidente estaria ligado aos outros atentados.

O dia em que o vento mudou de direção

RAFI

Ucrânia

Rafi estava desesperado para sentir um sabor, qualquer sabor que não fosse daquela água da torneira, daquelas asas de galinha e daquele pão sem gosto. Rafi estava disposto a usar o pouco dinheiro que levava escondido na cueca para pagar os cinco dólares que o russo cobrava para comprar uma Coca-Cola que deve custar no máximo cinquenta centavos no mercado. Mas quando Sasha entra carregando um pequeno e velho aparelho de televisão, o afegão até se esquece do refrigerante. Aquele comportamento é inusitado. Devem estar há quase um mês trancafiados naquele porão lúgubre e o russo mafioso não parecia interessado em ajudar nenhum deles a passar melhor o tempo. O que ele estaria armando? Sasha caminhou em silêncio até encontrar um interruptor, ligar e sintonizar o canal.

Duas torres em chamas apareceram na tela. Rafi nunca as tinha visto, não sabe o que são nem onde ficam. Demora alguns segundos para entender o que está acontecendo. Lê na tela as palavras Nova York, Estados Unidos e CNN. Sasha se virou, atento ao desconcerto que provocou no grupo, e disse em tom provocador: "Olha o que os países de vocês estão fazendo". Ficam revoltados com o comentário. Ninguém entende o que está se passando, mas precisam sobreviver e engolem em seco a raiva. Não podem fazer nada, estão nas mãos dele e de seus comparsas para chegar a algum país seguro. O irmão pagou 8 mil dólares para que levassem Rafi de Cabul, no Afeganistão, até a Europa, talvez o preço de uma passagem de avião em classe executiva. Mas no porão o tratamento era para quem estava prestes a ser executado.

A televisão ficou ligada todo o dia. Via as mesmas imagens repetidas vezes: o momento em que o segundo avião se chocou contra a torre, as torres desabando, o prédio em forma de pentágono sendo atacado, o avião espatifado em outro estado americano. À noite, o russo entrou e desapareceu com a televisão sem dizer nada. Nos dias seguintes, um clima de apreensão se instalou entre os homens, sobretudo entre os paquistaneses e os afegãos. Rafi tinha um mau pressentimento.

GAWHAR
Peshawar, Afeganistão

Num apartamento modesto na cidade paquistanesa de Peshawar, a mãe de Gawhar recebeu um telefonema, puxou a filha pelo braço e saíram correndo para a casa dos parentes que tinham televisão. "A América foi atacada e destruíram o maior prédio do mundo", avisaram os familiares logo que as duas chegaram.

Gawhar viu as imagens de um avião atingindo uma torre gigantesca, um grande incêndio, duas torres desabando, uma depois da outra, a nuvem de fumaça encobrindo tudo. O parente de barba muito branca e comprida disse que a "América" não iria ficar parada, iria reagir. A menina de dez anos não entendeu o que estava acontecendo. Não sabe o que é América, mas sabe que fica muito longe. A vida que leva agora é tão boa e, se esta tal América é tão distante, por que todos estão tão preocupados?

FALEEHA

Najaf, Iraque

Assistir à televisão à noite não é o programa mais animador para Faleeha. Só existem dois monótonos canais estatais. O apresentador usa toda vez a mesma roupa e fala sempre naquele tom monocórdio enquanto baixa os olhos para ler o que está escrito numa folha de papel. Parece que o noticiário é igual todos os dias. Não há antena parabólica, internet nem telefone no Iraque. Só se escuta uma voz no país. Não foi diferente no Onze de Setembro. Ela não tinha ideia do que estava acontecendo no resto do mundo. E se soubesse também não faria diferença. Estava mais preocupada em saber que móvel da casa teria que vender para comprar comida. Naquela noite, Faleeha não escreveu nada no seu diário.

GENA

Bagdá, Iraque

Gena não tem memória do dia Onze de Setembro. Aos oito anos, ela estava mais interessada em brincar de Barbie do que em assistir ao noticiário. Mas, nos dias que se seguiram, sentiu os pais mais apreensivos diante da TV.

Enquanto Gena costurava roupas para vestir a sua boneca, ouvia o pai dizer coisas como "a situação vai piorar" e "eles vão acabar por encontrar uma maneira de nos atacar".

AHMER

Vale do Swat, Paquistão

Algumas crianças lembravam das imagens dos aviões, dos arranha-céus em chamas na televisão. Na aldeia, entre as montanhas do vale do Swat, Ahmer não está entre os milhões que contam o que faziam no momento em que as torres desabaram com a emoção de quem tem certeza de que foi testemunha da história. Não, Ahmer, aos cinco anos, não esteve entre os 2 bilhões de telespectadores que, em todo o mundo, assistiram ao vivo aos acontecimentos. Só foi descobrir que Nova York era o nome de uma cidade e que houve uma vez um complexo de prédios chamado World Trade Center já adolescente, mais de oito anos depois dos atentados, quando foi a vez de o seu mundo quase implodir.

EHSAN UL-HAQ

Peshawar, Paquistão

O general paquistanês Ehsan Ul-Haq acabava de se sentar à mesa no jardim de casa para tomar um chá quando ouviu o telefone tocar. Um amigo que estava na Europa pedia que ligasse imediatamente a televisão. Dentro de casa, ele sintonizou na CNN e, ao vivo, eram transmitidas notícias confusas sobre um avião que atingira o World Trade Center. Sentou-se, segurando o chá ainda quente, a tempo de ver o segundo avião se chocar contra a torre. Tentou absorver o que estava acontecendo quando o Pentágono foi atacado. A mão que segurava a xícara ficou suspensa no ar. Daquele momento em diante não houve dúvidas de que algo maior estava em jogo. A confusão dos jornalistas era evidente. Com o passar das horas, logo compreendeu que os atentados de Onze de Setembro também iriam atingir o seu lado do mundo, a vida do seu país e a sua.

BAKER ATYANI

Islamabad, Paquistão

O plantão de notícias na TV interrompeu a conversa de Baker com os amigos na sala de estar. Como em casas de todo o mundo, o telefone tocou no apartamento do jornalista em Islamabad. Era seu editor de Londres, o mesmo que o havia posto no ar depois da entrevista com Osama bin Laden, em junho. Baker nem precisou ouvir seu chefe para saber o que estava acontecendo.

Eles haviam cumprido a ameaça. As palavras dos líderes da Al-Qaeda durante o almoço no esconderijo nos arredores de Kandahar surgiram como uma cascata na cabeça de Baker. Não havia dúvidas de que aquela era "a história de Baker". Muito antes de o Ocidente relacionar os fatos, os dois já sabiam.

Baker entrou ao vivo por telefone. O editor o instruiu a falar da ameaça que Osama bin Laden fizera em junho, mas sem acusar ninguém. Nas próximas horas e nos próximos dias, além das reportagens e das transmissões ao vivo, o repórter receberá telefonemas de jornalistas de várias partes do mundo querendo entrevistá-lo. Seu chefe sugere que ele dê uma coletiva de imprensa. Ele se recusa. A CNN chega a mencioná-lo sem a sua autorização. Agora todos se voltam para Baker e querem falar da sua entrevista.

A entrevista

Quase vinte anos depois, o jornalista Baker Atyani ainda se lembra dos detalhes da travessia: o carro se aproximando, o motorista colocando o dinheiro na mão do guarda paquistanês e o veículo entrando no Afeganistão. Ninguém os havia parado. Naquele momento sabia que não tinha como voltar. Estava no território deles. Era 20 de junho de 2001.

Ele seguiu todas as instruções. Comprou a passagem para Quetta como haviam lhe dito. Ao desembarcar no aeroporto da cidade, encravada nas montanhas do noroeste do Paquistão, avistou dois homens segurando o papel com o seu nome. Levaram-no imediatamente para o carro. Um falava mal o árabe, o outro só falava pachto, a língua dos pashtuns, o maior grupo étnico do Afeganistão e daquela região do Paquistão. Mal se sentou, o carro arrancou. O motorista dirigia confiante, sem pressa.

Cento e vinte e cinco quilômetros depois, quando estavam quase chegando à fronteira com o Afeganistão, pararam num restaurante e pediram que Baker trocasse os jeans e a camiseta pelo *salwar kameez*. Era parte das instruções, ele trazia na mochila a túnica e as calças largas usadas na região. Também lhe emprestaram um colete típico e pediram que guardasse os óculos de grife.

A viagem começou dois meses antes com o telefonema de um desconhecido falando em árabe. Marcaram um encontro no Karachi Company, o maior e mais movimentado mercado de Islamabad, a capital do Paquistão.

Ao chegar ao mercado, um estranho veio em sua direção e fez sinal para que caminhasse ao seu lado. Chamava-se Othman e propôs que Baker entrevistasse Osama bin Laden.

Baker ficou surpreso e reagiu com desconfiança. Ainda não era um jornalista experiente. Como saber se Othman era mesmo quem dizia ser, se pertencia de fato à Al-Qaeda? O desconhecido lhe assegurou que, em breve, entregaria uma prova irrefutável. Separaram-se.

Duas semanas depois, Othman voltou com um cassete em que Osama bin Laden jurava lealdade a mulá Omar, o líder do Talibã que o abrigara no Afeganistão. Parecia pura propaganda, mas era a prova de que precisava.

Baker e o seu editor combinaram manter sigilo sobre o assunto até depois da entrevista. Não podiam correr riscos de serem pressionados, de a informação vazar ou de atentarem contra a vida de Baker. No verão de 2001, do hemisfério Norte, Osama bin Laden já era o número 1 da lista dos terroristas mais procurados do mundo. Sua cabeça valia 5 milhões de dólares.

No Afeganistão, Othman me esperava numa das típicas casas de chá só frequentadas por homens. Nos sentamos no chão com as pernas cruzadas como de hábito, e o mensageiro da Al-Qaeda revelou ser egípcio. "Bem-vindo ao Emirado Islâmico do Afeganistão", dis-

se, deixando claro que o "Emirado" dos talibãs era também território da Al-Qaeda.

Seguimos viagem. O sol começou a se pôr. Nos cem quilômetros que separam a cidade fronteiriça de Spin Boldak de Kandahar, Othman descreveu ataques que aconteceram pelo caminho.

Não estava apreensivo, mas vigilante. Olhava tudo ao redor. Não confiava em ninguém e não podia me deixar levar por sentimentalismos. Só pensava na entrevista. Perto do aeroporto de Kandahar, Othman lembrou do episódio de um avião sequestrado que terminou com a presença de Bin Laden nas comemorações. Já era noite quando chegamos a um dos esconderijos da Al-Qaeda.

O guarda abriu a cancela, o carro avançou. Era uma casa enorme. Entrei por uma porta pequena. Eles repetiam: "venha, venha". Mandaram eu subir até o primeiro andar, me sentar e relaxar. Só um dos homens estava autorizado a entrar no quarto e a me dar comida. Me disseram para eu não falar com ninguém até a manhã do dia seguinte quando me levariam até Osama bin Laden. Fiquei estático. Relaxar? Falar com quem? O homem me trazia a comida. Estava cansado. Acordei no meio da noite. Fazia muito calor. Algumas áreas de Kandahar são muito quentes; junho é o mês mais seco do ano. Mas isso não é um problema. Só conseguia pensar no dia seguinte, como faria? E se houver um imprevisto e Bin Laden tiver que mudar de esconderijo e resolver não dar mais a entrevista? E se resolver me levar junto?

Até o amanhecer, com tantas perguntas, dormi pouco. Lá pelas seis da manhã Othman trouxe o café, perguntou se eu tinha dormido bem, disse que sim, claro. Outro homem entrou, também egípcio, eu não o reconheci de imediato. Ele se apresentou como Abu Hafs, conhecido como Mohammed Atef. O comandante militar da Al-Qaeda foi tomar café da manhã comigo.

Entre goles de café, pão afegão, geleia e manteiga, Abu Hafs puxou conversa. Falamos um pouco sobre a minha carreira. Ele disse que em breve serei levado para o encontro com o sheik e que poderei perguntar o que quiser. Mas antes mandou trazer um aparelho de televisão e começou a exibir um vídeo com imagens de treinamentos em campos da Al-Qaeda, dos atentados contra o destróier americano USS Cole, *no Iêmen, e contra as embaixadas no Quênia e na Tanzânia. Mohammed Atef me ofereceu uma cópia do vídeo para eu usar nas reportagens. Ficamos uma hora juntos até ele se despedir. Othman perguntou se estava pronto. Peguei a mochila, mostrei o que levava, ele tirou a minha câmera fotográfica com a promessa de que ia tomar conta do aparelho e me devolver depois. Partimos.*

Eram sete da manhã quando entramos em outro carro e saímos de Kandahar. Havia pessoas nas ruas, a cidade já estava em pé. Paramos ao chegar a uma espécie de garagem onde trocamos de novo de veículo, desta vez um micro-ônibus todo camuflado que impedia que eu visse o caminho ou que tivesse noção de para onde estávamos indo. A primeira parte do ônibus era isolada do resto. Mandaram que eu me sentasse em frente a um homem armado que me encarou durante as três horas de viagem. Saímos da estrada principal, fomos aos solavancos por estradas de terra batida e esburacadas. Percebi que havíamos chegado ao deserto e pensei que agora era pra valer. Não tive medo. Mas não sabia onde estava. Era um mundo totalmente desconhecido para mim. Não havia histórico de sequestro da Al-Qaeda. Não me passou pela cabeça que eu pudesse ser sequestrado, mas o sentimento de não saber onde estava, em terra de ninguém, era muito forte.

Paramos perto de uma casa e, quando abriram a porta, em meio à poeira, consegui finalmente ver muros muito altos, paredes de barro, uma casa transformada em fortaleza. Os homens conversavam com os guardas, que deixaram o ônibus passar. Naquele momento estávamos nas mãos do pessoal do Bin Laden. Logo me revistaram e tiraram o meu relógio, não sei por quê. Havia armas e munição suficientes para o cerco a uma cidade. Mandaram que eu entrasse numa sala pequena. Alguns minutos depois recebi a indicação para passar para outra sala, bem mais espaçosa.

Lá no meio da sala à minha espera, estava um homem muito alto, vestido com a thawb, a túnica árabe, um turbante branco na cabeça e uma AK-74 a tiracolo. Osama bin Laden me abraça e cumprimenta calorosamente, dá boas-vindas junto a dois egípcios: Ayman al-Zawahiri, o número 2 da Al-Qaeda, e Mohammed Atef, que havia tomado café da manhã comigo. Além deles, estão Abu Hafs Al-Mauritani, o único que seria contra os atentados de Onze de Setembro, e outros dois homens que não sei quem são, mas que formam o comitê executivo da Al-Qaeda. Lá estava eu no meio dos homens mais procurados do mundo. Por que eu fui o escolhido? Por que me chamaram? A possibilidade de ser atingido por um míssil teleguiado passou pela minha cabeça.

Eles me convidaram a me sentar. Não havia muito o que falar, mas Bin Laden perguntou sobre minha vida, meu trabalho, o canal de TV, como se não soubesse que eu era jordaniano de origem palestina nem que trabalhava no canal de televisão mais visto em todo o mundo árabe. Depois, foi direto ao assunto. O plano mudou. Ele não pode mais aparecer em frente às câmeras nem dar entrevistas. Precisava cumprir a promessa que fez a mulá Omar, líder do Talibã, de não falar mais com a imprensa. Mas garantiu que eu teria todo o material necessário para a reportagem. A sua equipe gravaria o nosso encontro e me daria outras imagens que eu precisasse. Surpreendeu-me que ele entendesse tão bem como as equipes de TV trabalham.

Bin Laden mandou trazer um aparelho de televisão e assistiu comigo às gravações dos jornais da CNN e da Al Jazeera da noite anterior, quando eu estava viajando. Para mim ficou claro que as gravações foram feitas em Kandahar e trazidas para ele assistir. Se viessem de Cabul, não teria dado tempo de chegar. Também trouxe o laptop e me mostrou vários CDs com mais imagens e ain-

da me deu de presente um poema escrito por ele. Disse que o poema fora lido no casamento do seu filho, Mohammed, alguns meses antes pelo outro filho Hamza. Vi Hamza neste dia junto com o pai. Era uma criança.

Estávamos todos sentados num colchão no chão, bebendo chá, quando um dos egípcios e Mohammed Atef anunciaram que estavam preparando uma grande surpresa para as próximas semanas e que iam atacar alvos americanos e israelenses. Não sabia quem era esse segundo egípcio, mas com certeza era da Jihad Islâmica do Egito, a organização de Al-Zawahiri que meses antes havia anunciado a união à Al-Qaeda.

Perguntei para Bin Laden se era possível confirmar o que acabei de ouvir. Ele sorriu e confirmou acenando sim com a cabeça. Depois chamou o fotógrafo da Al-Qaeda para gravar e fotografar o nosso encontro. Eu apareci sentado entre Bin Laden e Al-Zawahiri. A gravação durou cerca de quinze minutos. Quando acabou, Bin Laden disse que eu tinha imagens suficientes para fazer a reportagem. Fui convidado para o almoço, mas antes todos saíram para rezar.

Fiquei sozinho na sala com um rapaz do Iêmen, que não devia ter mais que dezoito, dezenove anos. Ele se virou para mim e disse que se os americanos achavam que iam entregar Bin Laden por 5 milhões de dólares estavam muito enganados e zombou ao acrescentar que o último ataque americano parecia espetáculo de fogo de artifício. Era um menino. Fiquei só olhando e pensando no que dizer. Não disse nada.

O encontro durou três horas. No almoço serviram um prato muito tradicional da Jordânia, o mansaf, carne de cordeiro e molho de iogurte. Falaram sobre a Palestina, Bin Laden me perguntou sobre a Palestina. Elogiou os recentes ataques terroristas em Tel Aviv. Disse que gostaria de ir para a Palestina para ajudar. Só escutei. Ia dizer o quê?

Osama bin Laden era muito calmo. Falava pouco, menos que os outros, o oposto de Al-Zawahiri, mas era certeiro. Estava muito comprometido com a sua causa. Tinha o carisma de um líder. Controlava todos ao redor. Poucos líderes de organizações militantes que entrevistei depois tinham esse compromisso, essa convicção no olhar. Na maioria era perceptível que um dia poderia mudar de ideia, voltar atrás, desistir. Bin Laden não.

A conversa continuou, mas eu só conseguia pensar na notícia que tinha em mãos. Queria saber mais. Eles não falaram muito mais sobre o tema. Tenho dificuldade para lembrar o que falamos depois. Mas não esqueci o que Mohammed Atef, o comandante militar da Al-Qaeda, disse na despedida: "O negócio de caixões vai prosperar nos Estados Unidos". Bin Laden despediu-se e avisou que ia me convidar para uma nova entrevista depois do prometido ataque. "Se algo grande acontecer, estarei escondido nas áreas tribais do Paquistão. É lá que você vai me entrevistar."

Baker Atyani sabia que tinha uma declaração bombástica e exclusiva em mãos. "Estamos preparando uma grande surpresa para as próximas semanas, vamos atacar alvos americanos e israelenses" ecoava em sua cabeça. Devia divulgar ou não a ameaça? Tinha certeza de que não o chamaram ao Afeganistão à toa.

Othman o levou de volta para Kandahar, onde passou a noite. No dia seguinte, seguiram para o Paquistão. Othman despediu-se na fronteira. O motorista levou Baker até Quetta. Já era noite e não havia mais voos. Nessa época não havia rede de telefonia celular na cidade paquistanesa. Do quarto do hotel, Baker ligou para o editor em Londres, que pediu que só voltasse a telefonar quando chegasse a Islamabad. Dormiu. No dia seguinte, o voo foi cancelado por causa de uma tempestade de areia. Ligou de novo para Londres. Dessa vez, o editor disse que não dava mais para esperar, e ele entrou ao vivo por telefone. Baker acrescentou a frase que Atef lhe dissera: "O negócio de caixões vai prosperar nos Estados Unidos". No dia seguinte, voou para Islamabad, saiu diretamente do aeroporto para a redação e por fim a reportagem foi ao ar no dia 24 de junho de 2001.

Em julho, a jornalista Pamela Constable, do *Washington Post*, entrevistou Baker para saber se a ameaça era plausível. Ele reafirmou que estava 100% seguro de que a Al-Qaeda estaria preparando um ataque contra os americanos, mas a imprensa internacional não deu muito destaque à notícia. O Talibã negou que Bin Laden tivesse feito uma ameaça. O próprio Mohammed Atef disse que não podia confirmar as declarações do jornalista. Mas Baker Atyani começou a receber chamadas de serviços de inteligência de vários países. Sabia que os americanos haviam cancelado manobras militares na Jordânia e deslocado as tropas para o interior da Arábia Saudita. Estavam em alerta. O serviço de inteligência da Jordânia avisou os americanos de que algo estava para acontecer. O chefe da sucursal da MBC da Jordânia telefonou ao jornalista porque o embaixador americano estava perguntando o que era aquilo.

Foi a última entrevista de Bin Laden antes do Onze de Setembro.

Afeganistão

Rafi e Gawhar são de Cabul. Andam pelas mesmas ruas em Viena; nunca se cruzaram. Mas ambos conhecem um empresário afegão que trabalha como faxineiro na capital austríaca. Um dia ele agarrou a vassoura com tanta força enquanto varria um daqueles salões de valsa que os colegas acharam que tinha enlouquecido. A vida de quem é forçado a fugir de seu próprio país é tudo, menos normal.

RAFI

Viena, Áustria, 2019

Rafi segurou a mão do filho para atravessar a Schwarzenbergplatz. Apesar do frio rasgante do inverno, as ruas estavam repletas de gente. Não eram nem seis da tarde, mas em Viena parecia noite. A iluminação especial nas grandes avenidas e palácios dos tempos do Império Austro-Húngaro faz parte da magia de dezembro quando os moradores e os turistas abarrotam os tradicionais mercados de Natal da capital austríaca. À espera de que o sinal fechasse e sem largar a mão do filho, Rafi estava pensativo. Quando atravessou a rua, começou a caminhar em direção a um McDonald's.

Passara as últimas horas contando sobre a viagem de fuga do Afeganistão enquanto o garoto jogava videogame na mesa de um restaurante sem graça na Rennweg, onde a comida não tinha gosto de nada. Um dia será a vez de o filho ouvir sobre a quantidade de vezes que Rafi não tinha o que comer, que pensou que iria morrer de fome ou sede, sobre a vida de outro menino que teve nos braços. Mas agora o menino de cinco anos quer as batatas fritas da lanchonete americana, a recompensa por não ter reclamado enquanto o pai conversava com a jornalista brasileira.

O filho puxou Rafi pelo braço: "Estamos muito longe?". "Não", respondeu sem parar de andar a caminho da Kärntner Strasse, a rua de pedestres e de comércio mais popular de Viena. Caminhar pelo centro da cidade nas semanas que antecedem o Natal exige muita paciência. Nada comparável à disciplina de um jovem em fuga. Rafi conhece bem a capital austríaca e acaba pegando um atalho pelas ruas laterais na tentativa de escapar da multidão. Houve um tempo em que andar era a sua única opção. Tinha passado os últimos anos ouvindo os dramas de tantos refugiados, mas já fazia muito tempo que não contava sua própria história a alguém. Enquanto andava com a mão agarrada à do filho, as memórias daqueles três meses e meio em 2001 vinham em fragmentos. Agora que é pai, é difícil conter a emoção quando pensa na tragédia daquele médico que conheceu no campo de refugiados na Eslováquia. Tem lágrimas nos olhos. Hoje sabe que se acontecesse algo com o próprio filho enlouqueceria. Rafi se descontrolaria.

Quando foi mesmo que sua vida começou a andar na direção contrária?

GAWHAR

Viena, 2016

Aos 25 anos, Gawhar estava prestes a passar a pior noite da sua vida. Ela, a aluna exemplar que tirava as melhores notas na escola, a filha dedicada que se formou em medicina para satisfazer o sonho dos pais, a médica trabalhadora que chegara a fazer vinte partos numa noite no hospital em Cabul, iria dormir a noite de 21 de maio de 2016 na cela de uma prisão, na Áustria, tratada como se fosse uma criminosa.

Entrou no país com um visto que só tinha validade de dez dias. O prazo havia expirado, e ela precisou decidir entre voltar para Cabul, sob a ameaça diária de atentados suicidas, ou ficar num país em que o medo não a paralisaria. Não haveria outra chance. Só não imaginou que passaria uma noite na cadeia.

Na cela há um beliche, uma privada e uma pia. No alto de uma das paredes, uma pequena janela com grades de ferro, uma lembrança distante do mundo lá fora. O policial chegou com um copo de plástico para que ela pudesse beber a água da torneira. Na Áustria, a água encanada é potável. Ela se deitou na cama de baixo. Estava sozinha.

O marido da irmã que morava em Viena a orientou a ir à polícia para dar entrada no pedido de asilo como refugiada. Então, chegou à primeira delegacia ao meio-dia. Ficou sentada por duas horas e ninguém veio ao seu encontro. Não falava alemão, vinha de um país completamente diferente. Tudo era novo. Começou a ficar impaciente. Levantou-se e foi perguntar em inglês se alguém iria falar com ela. Pouco tempo depois chegou um policial com formulários para ela preencher. Ele a levou para uma sala onde tiraram a sua impressão digital e a sua foto, como nos filmes policiais. Não a algemaram quando a conduziram para um carro de polícia. Mas ela estava nervosa. À medida que a viatura policial avançava, Gawhar tentava memorizar as placas escritas em alemão. Uma palavra sobressaía entre as demais: Wien, Viena, que ela reconhecia — e isso a deixava mais apreensiva, com receio de que estivessem deixando a capital austríaca.

O carro parou vinte quilômetros depois, em Traiskirchen. Gawhar estava agora no maior campo de refugiados da Áustria por onde todos os que tentam entrar no país devem passar. Ficou cerca de duas, três horas ali. Estavam no pico da crise de refugiados na Europa, e o campo estava lotado. Mais uma vez foi levada por policiais para um lugar que parecia uma prisão. Mandaram que entregasse os cadarços do sapato, o colar que usava e o pouco dinheiro que tinha. Colocaram tudo em sacos plásticos e a conduziram até a cela.

A primeira hora passou depressa com ela deitada na cama, sem pensar em nada, mas quando começou a anoitecer as lágrimas vieram. Chorava convulsivamente. Não conseguia parar. Queria desistir de tudo. Queria chamar o policial e dizer que desejava voltar para casa, para Cabul, para seus pais. Seus pais que, em 1996, viveram sob o regime do Talibã; que, em 1999, fugiram com a família para o Paquistão; que, em dezembro de 2001, acreditaram quando os americanos anunciaram ao mundo que tinham derrotado o Talibã e que era seguro voltar a viver no Afeganistão.

RAFI

Cabul, 2001

O dia em que os talibãs vieram à sua casa e não encontraram seu pai foi também o dia em que seus pais tomaram a decisão.

Os homens haviam sido claros. Da próxima vez, na ausência do pai, que era militar, levariam o filho. Não era brincadeira. A vida de uma pessoa valia pouco no Afeganistão. Era como matar uma galinha. Ninguém perguntaria nada, ninguém seria julgado.

Em 1979, tropas soviéticas invadiram o Afeganistão para apoiar o governo comunista. O país se tornou o palco sangrento da Guerra Fria entre os Estados Unidos e a União Soviética. Um milhão e meio de afegãos morreram. A CIA, através do serviço secreto paquistanês, financiou as milícias afegãs. Deu armas, dinheiro e treinamento militar a milhares de mujahidins, os combatentes muçulmanos que lutavam contra o invasor estrangeiro. Com a derrota soviética e a retirada das tropas em 1989, o país ficou dividido entre os senhores da guerra — os mesmos líderes militares que haviam expulsado os soviéticos lutavam agora entre eles por poder. Considerados heróis da resistência, esses comandantes tinham exércitos particulares e exerciam o poder civil por meio da força em suas regiões. Tinham mais poder do que o governo central.

Os jovens talibs, os talibãs, estudantes de escolas religiosas, tomaram o poder em Cabul em 1996, prometendo acabar com anos de guerra civil, corrupção, criminalidade e de reinado dos senhores da guerra. Tiveram o apoio de grande parte da população rural, cansada da seca, da fome, do crime organizado, da guerra. Mas logo impuseram a sua interpretação radical e distorcida do Islã. Combatiam a corrupção e o crime amputando as mãos ou condenando à morte os infratores. Proibiam as meninas de estudar.

As mulheres quase não podiam sair à rua. Eram obrigadas a usar burcas, roupas que as cobriam da cabeça aos pés. O Talibã proibiu a música, os aparelhos de TV, os vídeos, a maioria dos esportes e jogos. Nem soltar pipa era permitido. Era uma interpretação extremista do que o Alcorão prega: paz e tolerância entre as diferentes religiões e etnias.

Dos seis irmãos, Rafi era o mais novo. Duas irmãs já viviam na Áustria e dois irmãos, na Alemanha. O irmão mais velho pagaria os 8 mil dólares necessários para a viagem clandestina que começaria em julho de 2001 e duraria três meses e meio. Aos vinte anos, era a hora de deixar a casa e os pais para trás, em Cabul.

Em cada país, seguiria rotas diferentes, mas a mesma rotina. Horas, dias, semanas à espera para atravessar a fronteira, uma espera com outros homens, mulheres e crianças, alguns com famílias inteiras, todos desconhecidos, que se acotovelavam em espaços minúsculos, sem quaisquer condições, aterrorizados e, ao mesmo tempo, com muita esperança para chegar aos destinos — para cada um deles um país diferente da Europa. Havia ainda as horas e os dias da própria travessia, desertos, paisagens áridas e montanhosas, estradas improváveis entre cordilheiras gigantescas, deslumbrantes e assustadoras. A pé, em trens, caminhões, carros ou botes, sempre terminavam todos exaustos, famintos, se empurrando em lugares de condições desumanas.

Logo que chegou ao Paquistão, o primeiro dos oito países que atravessaria, decidiu se juntar a um casal mais velho e a uma jovem afegã da mesma idade. Fingiriam ser uma família, assim enfrentariam os perigos lado a lado. Os riscos eram muitos. Havia tantas histórias de estupros, espancamentos, assaltos, maus-tratos, mortes. “Em família”, seria mais fácil sobreviver.

GAWHAR
Cabul, Afeganistão, 1996-99

No dia em que o Talibã tomou Cabul, em 1996, Gawhar aprendeu a mentir. Ela tinha cinco anos.

"Não abra nunca a porta, não vá à rua, se alguém perguntar de onde é a sua família, minta, diga que é de Kunduz", ordenaram seus pais naquela noite. Os talibãs são do sul do Afeganistão e são também pashtuns, a principal etnia do país. A família de Gawhar é do norte, são tadjiques e uzbeques que, junto com os hazaras, são os alvos preferidos dos talibãs. Os pais preferiam que os filhos mentissem a correrem o risco de ver a família perseguida ou morta.

Haviam se mudado fazia poucos meses para a casa de um parente que fugira com a família para a Alemanha. A casa de dois andares com um jardim grande ficava em Wazir Akbar Khan, um subúrbio luxuoso localizado em uma colina ao norte de Cabul. Lá viviam políticos e ministros antes de o Talibã chegar, uma realidade muito diferente da de onde a família vivera antes: um primeiro andar de uma casa alugada que dividiam com o senhorio.

Foi nessa época que Gawhar ganhou dos irmãos o apelido de grão-de-bico pela quantidade de vezes que caía e rolava ribanceira abaixo quando corriam até a escola. Era a última a chegar e, inevitavelmente, com o uniforme sujo de poeira pelas inúmeras quedas.

Com a tomada do poder pelo Talibã, o mundo ao redor de Gawhar mudou. As brincadeiras ao ar livre foram banidas. Ela e as irmãs deixaram de correr para a escola. Aliás, deixaram de ir à escola como todas as outras meninas do país. O irmão de oito anos já não estudava mais matemática ou ciência nem ia mais de calças compridas e camisa para as aulas, passou a usar um turbante, vestir uma túnica longa até os tornozelos e a estudar apenas religião segundo a visão radical dos talibãs.

O pai também teve que começar a usar o turbante, deixar a barba crescer e ir cinco vezes à mesquita rezar. A irmã mais velha e a mãe, que era médica, foram obrigadas a vestir a burca. Nenhuma delas podia mais andar sozinha na rua. O pai levava a mulher todos os dias ao trabalho. Se fosse flagrada sozinha num táxi, ela e o motorista seriam punidos. Debaixo da burca, a mãe reclamava que mal conseguia respirar. O pai pedia que ela aguentasse, pois se deixasse o rosto à mostra os dois sofreriam as consequências. Guardas ficavam nas ruas e batiam nas mulheres que passavam com o tornozelo ou as mãos descobertos.

Homens com turbantes chegavam ao bairro, invadiam as casas que foram abandonadas com tudo dentro pelos vizinhos que fugiram às pressas e jogavam para as ruas equipamentos eletrônicos como televisões e videocassetes, proibidos no regime dos talibãs. Foi uma época estranha quando uma travessura de criança ganhava contornos bizarros, como no dia em que o irmão chegou carregado de ovos. Tinha encontrado os ovos na cozinha de uma das casas saqueadas pelos talibãs. Aos meninos ainda era permitido sair de casa, ela e as irmãs no máximo conseguiam observar a rua através de uma fresta na porta.

Foi nesse período que ganharam novos vizinhos. Um ministro do novo regime se mudou com a família para a casa da frente.

RAFI

Rússia, 2001

A primeira prova de fogo tinha sido sobreviver àquela passagem de trem pela fronteira do Cazaquistão com a Rússia. Mal viu a estação porque os carros já os esperavam para transportá-los até Moscou, onde foram separados em grupos e trancados em diferentes apartamentos. Uma semana depois, saíram rumo à fronteira com a Ucrânia, deitados, ou melhor, empilhados e escondidos em carros, para que a polícia não os visse. Foram seis horas até um destino desconhecido de onde partiram caminhando noite adentro.

"Rápido, rápido e mais rápido", gritavam os russos e ucranianos que os guiavam sem o menor sinal de compaixão. Rafi nunca imaginou que conseguiria andar sem parar por 48 horas. Iam abandonando aos poucos pelo caminho os pertences que tinham. À medida que ficavam mais leves, o peso da viagem se tornava ainda mais doloroso. Já não havia nem água nem comida. Os mais jovens como Rafi tentavam ajudar. Ele sempre levava uma criança às costas. Outro rapaz tirou os sapatos para dar à "mãe adotiva de Rafi", uma mulher muito gorda que não conseguia andar mais rápido. Mesmo com os calçados mais apropriados ela apresentava dificuldades, então os dois jovens passaram a carregá-la. O marido, que falava um pouco de russo, pediu aos traficantes que parassem para descansar por alguns minutos. Levou uma pancada na cabeça. Quem diminuía o ritmo apanhava. Tinham caminhado 24 horas e não conseguiam mais andar. Estavam famintos, e a sede era insuportável.

Rafi estava a ponto de desmaiar quando alcançaram um jardim com macieiras. Voltou a acreditar em milagres. Os ucranianos e os russos os deixaram ali durante dez minutos — tempo suficiente para Rafi comer tantas maçãs quanto foi possível. As frutas estavam saborosas. A cada mordida, salivava pela água da maçã e matava a fome e a sede ao mesmo tempo. Ele e o resto do grupo encheram os bolsos com as frutas antes de seguir em frente. Estava muito escuro. Andaram quilômetros até chegar a uma colina que deveriam subir durante toda a noite. Estavam de novo exauridos.

Apenas no início da manhã seguinte atingiram o topo. Não sobrara nenhuma maçã. Não havia nada para comer nem beber. Mais uma vez a sede o atormentava. Pensou de novo que fosse morrer quando viu pequenas poças d'água deixadas pela chuva. Jogou-se na terra molhada e bebeu a água que encontrou. Os outros saíram correndo em sua direção e houve briga na disputa para beber água. Não havia poças para todos.

Caminhavam havia dois dias e duas noites quando enfim chegaram ao ponto de encontro, aos pés do morro. Os carros já os esperavam para levá-los a Kiev, a capital da Ucrânia, onde permaneceriam por uma semana. Um dia uma jovem ucraniana entrou no apartamento em que Rafi estava. Ele custou a entender o que se passava. Ele era um jovem afegão, muçulmano, completamente ingênuo, não tinha contato com mulheres além da mãe e das irmãs. Demorou uns minutos para perceber que era uma prostituta. O jovem estava imune a qualquer sedução, concentrado de todo em chegar a salvo à Europa. Pediu que se afastasse. Só pensava nos pais em Cabul. Era angustiante pensar que podia nunca mais voltar a vê-los.

GAWHAR

Cabul, Afeganistão, 1996-2000

Um dia bateram à porta. Era um dos guarda-costas do ministro que morava na casa em frente querendo que a mãe de Gawhar fosse examinar uma das mulheres do chefe que estava grávida. A mãe inventou uma desculpa e não foi. O guarda voltou nos dias seguintes. A mãe de Gawhar não podia mais recusar e colocar a família em risco. Ninguém dizia "não" ao Talibã.

Levou Gawhar, que era a filha mais nova. A menina entrou e encontrou as várias mulheres do ministro cobertas da cabeça aos pés, usavam as roupas mais tradicionais mesmo dentro de casa e na companhia apenas de outras mulheres. A mãe examinou a grávida e foram embora. Os "pedidos" não terminaram neste dia. O ministro também queria usar a garagem da família para estacionar um dos carros. O pai precisou aceitar. Depois desses dois episódios, os vizinhos deixaram de ser hostis.

Foi nessa época que os pais descobriram que havia uma escola clandestina para meninas perto de onde viviam. O pai apoiou a mãe, que matriculou duas das filhas. A ida para a escola era cercada de cuidados. Se os vizinhos percebessem e as denunciassem, as professoras poderiam ser presas. Ela e a irmã nunca saíam juntas para as aulas. Nunca levavam mochilas com os livros e cadernos que eram escondidos em sacos plásticos pretos como se fossem sacos de lixo. Três meses depois de começarem as aulas, as professoras fecharam a escola com medo de que o Talibã pudesse ter um informante por perto e as descobrisse. Os pais, então, chamaram um amigo do pai para dar aula aos seis filhos em casa. O professor chegava de bicicleta e passava todas as tardes com as irmãs e os irmãos ensinando gramática, exercícios para ler e escrever, matemática. Os pais queriam tanto que os filhos estudassem que não se importavam que um instrutor homem desse aulas para as meninas.

RAFI

Ucrânia, 2001

A espera no porão na fronteira da Ucrânia foi a mais longa de toda a viagem clandestina. Depois do Onze de Setembro, o russo Sacha não voltou a trazer o aparelho de TV aos estrangeiros.

A cada dia preso, sem saber da família e do que estava acontecendo no mundo depois daqueles atentados, Rafi ficava mais nervoso. Uma noite, um mês e meio depois da sua chegada, ouviram o barulho de caminhões. A caçamba dos veículos tinha mais ou menos dois metros e meio de altura. Os traficantes dividiram o espaço em três andares utilizando tábuas de madeira como bancos. A distância de um "andar" para o outro era de menos de um metro, o que fazia com que os mais altos batessem com as cabeças no "banco" de cima. Rafi continuava viajando com a sua "família adotada" no início da fuga. Resolveram se sentar no "primeiro andar", já que a "mãe" não conseguiria subir. Além disso, ficariam estrategicamente perto da saída. Quinze minutos depois de partirem, os traficantes voltaram, receberam alguma informação de que a polícia tinha sido avisada. A viagem foi adiada. As crianças choravam. Os adultos sem filhos se irritavam. O ambiente era de pura frustração.

Alguns dias depois, uma nova tentativa. Para evitarem uma batida policial, os caminhões deixaram a Ucrânia e atravessaram a Hungria, em vez de entrarem diretamente na Eslováquia. Durante quinze horas ficaram sacolejando na estrada. Os bancos improvisados não eram estáveis, muito menos confortáveis. Não havia o que comer nem o que beber. Os traficantes deixaram umas garrafas de plástico vazias que eles custaram a entender para que serviam. Não havia banheiro.

Já era noite quando enfim chegaram a uma pequena fazenda na Eslováquia. O lugar cheirava a estrume, um cheiro intenso e ininterrupto. Mas Rafi não ligava, precisava comer, estavam todos esfomeados. Uma mulher mais velha se aproximou e pediu dinheiro para cozinhar. A essa altura Rafi se acostumara a ser explorado. Toda pessoa — mulher, homem, velho ou jovem — que encontraram pelo caminho queria extorquir dinheiro de alguma maneira. Não se importava mais. Fizeram uma vaquinha.

A mulher recolheu cerca de trezentos dólares e foi o preço que cobrou para trazer pão e preparar uma sopa com batatas, cenouras e linguiças. Rafi nem percebeu que estava comendo porco — carne proibida na religião muçulmana. A cada colherada, sugava o líquido quente e saboroso; estalava a língua, um ruído que era repetido por todos num coro uníssono. Permanecia vivo.

Ficaram dois dias ali cheirando o estrume até que vieram buscá-los. Os traficantes enfiaram dez pessoas em carros onde só cabiam quatro e voltaram para a autoestrada. Rafi sentiu-se confiante. Deviam estar a poucas horas de chegar à Áustria, à segurança tão esperada da Europa Ocidental. Parecia o fim de um pesadelo. Mas o pensamento de Rafi foi interrompido quando percebeu que os carros começaram a sair da estrada principal e mudaram de direção.

GAWHAR

Cabul, Afeganistão, 2000

A família de Gawhar tentara durante os últimos quatro anos levar uma vida normal numa sociedade que tinha deixado de ser normal.

Os hospitais eram controlados pelos talibãs. A mãe médica foi advertida porque prestava um atendimento sem véu, com o rosto à mostra. O diretor da unidade era do regime e passou a assediá-la. Ela parou de trabalhar.

Decidiram que deviam encontrar uma maneira de sair do Afeganistão para que a mãe pudesse trabalhar e para que as filhas pudessem estudar. Peshawar, no vizinho Paquistão, era a opção mais viável. Ficava a 280 quilômetros de Cabul, e parentes da mãe moravam na cidade que recebera milhões de afegãos, fugitivos da guerra contra os soviéticos na década de 1980.

Organizaram o plano: o pai levaria primeiro a mãe com a filha mais jovem, Gawhar. Para as autoridades não desconfiarem nem despertarem suspeitas entre os vizinhos, o pai faria a viagem com os outros filhos depois e ficaria viajando entre uma cidade e outra. Precisavam agora tirar os documentos de identidade das crianças. No Afeganistão, não havia certidão de nascimento.

RAFI
Eslováquia, 2001

Quando a caravana de carros entrou por estradas secundárias e eles chegaram a uma floresta, Rafi ficou ainda mais ressabiado. Os homens ordenaram que saíssem dos carros. Eram quase cinquenta pessoas viajando de forma clandestina. Os traficantes disseram para esperarem meia hora que alguém iria buscá-los. Rafi não acreditou. Meia hora depois, ninguém apareceu. Uma hora, ninguém. Duas horas, nada. Estavam todos aflitos. Era tudo mentira. Haviam sido abandonados no meio da floresta.

Começou a escurecer e a temperatura baixava. Eles não estavam preparados para o frio. Era verão e não tinham roupas de inverno. Não havia água nem comida. Não havia placas de sinalização. Não tinham a menor ideia de onde estavam nem sabiam que direção deveriam seguir. As horas iam passando e o frio aumentava. O desespero passou a se espalhar pelo grupo. Depois de meses de viagem e inúmeros riscos, iriam morrer de frio às portas da Europa Ocidental. Precisavam agir. Dividiram-se em grupos de quatro pessoas. Sentaram-se abraçados com as costas coladas uns nos outros e se esfregavam para se aquecerem. As crianças eram colocadas no meio de cada grupo e faziam o mesmo. Os adultos serviam de capa de proteção.

Passaram a noite toda assim, esfregando-se uns nos outros, para não morrerem congelados.

No dia seguinte, Rafi assumiu a liderança junto com um afegão que falava russo. Os dois iriam sair em busca de ajuda e os outros permaneceriam ali, no mesmo lugar, até que eles voltassem.

Os dois caminharam, entraram numa estrada de terra esburacada, seguiram em frente. Andaram sem parar até avistarem prédios ao longe. Quando estavam quase chegando, perceberam que havia um carro atrás deles. Continuaram andando sem olhar para trás fingindo serem moradores da região. O carro se aproximou, agora já estava ao lado deles. Um dos ocupantes disse algo em eslovaco. Era a polícia.

GAWHAR

Cabul, Afeganistão, 2000

Quando a família de Gawhar chegou ao Ministério do Interior, em Cabul, o funcionário estava sentado diante de um grupo, ocupado em decidir a idade de cada um à revelia da própria pessoa. O Talibã duvidada da idade que lhe diziam. Não foi diferente com o seu pai nem com suas irmãs e irmão.

Não só não existia certidão de nascimento como os hospitais no Afeganistão não tinham nenhum registro guardado. Gawhar só sabia que nascera no dia 11 de janeiro de 1991 porque os pais haviam escrito num caderno as datas de nascimento dos seis filhos. O funcionário obrigou a irmã mais velha, que era forçada a usar a burca pelos próprios talibãs, a mostrar o rosto para provar a idade.

O importante era conseguir as cédulas de identidade para poderem viajar. Menores de idade não tinham passaporte, mas precisavam das identidades para terem os nomes associados aos passaportes dos pais. Ela ficou no da mãe e os outros irmãos no do pai. Agora conseguiriam cruzar a fronteira.

RAFI

Eslováquia, 2001

Rafi estava na fila para receber o cartão de identificação em Adamov-Gbely. Quando o carro da polícia o parou na estrada de terra não teve como mentir. Militares foram chamados para transportar todo o grupo que permanecia na floresta para um dos maiores campos de refugiados da Eslováquia.

Adamov-Gbely ficava na fronteira com a República Tcheca, a menos de uma hora e meia de Viena, na Áustria. Era uma babel com centenas de afegãos, iraquianos, somalis, nigerianos, homens, mulheres e crianças de diversos países e religiões. Um homem alto se destacava entre os demais. Chorava todos os dias. Não conseguia nem se levantar. Sentado, mostrava a quem chegasse as fotos da mulher e dos filhos e contava sua tragédia. Era um médico afegão de Herat, uma das cidades mais sofisticadas e liberais do Afeganistão. Ele tentara salvar a mulher e os filhos quando atravessavam um rio. O barco de madeira tinha gente demais e quebrou. O traficante fugiu e se salvou abandonando todos que estavam com ele. O médico sabia nadar. Tentou salvar a mulher, que implorou que salvasse os filhos. A correnteza era forte, e quando se aproximava dos filhos, os dois se afogaram na sua frente. Não conseguiu salvar ninguém. Viu toda a família morrer. Rafi tentava consolar o médico, que se sentia culpado e repetia sem parar sua história. A culpa o massacrava. O tempo congelara.

GAWHAR

Peshawar, Paquistão, 2000-01

Gawhar e a mãe fizeram uma mala discreta; viajariam apenas com algumas roupas. A casa em Cabul ficaria mobiliada como se toda a família ainda morasse na capital afegã. O pai também levaria a tia materna de Gawhar que tinha a mesma idade que ela para viver com os sobrinhos em Peshawar, no Paquistão.

Peshawar é uma das cidades habitadas mais antigas do mundo. Pelas dezesseis portas da antiga cidade amuralhada passaram, ao longo dos séculos, caravanas de comerciantes, viajantes e invasores. Peshawar foi conquistada por gregos e persas, foi uma das capitais da civilização budista Gandara, um dos bastiões do Império Mogol, foi ocupada por sikhs e pashtuns até cair nas mãos do Império Britânico. Na Guerra Fria, durante a ocupação soviética no Afeganistão, transformou-se na capital mundial da espionagem quando os americanos, por meio da CIA, investiram bilhões de dólares para armar os mujahidins contra os soviéticos. Quem intermediou a operação secreta, a mais cara da história da CIA, foi o ISI, o serviço de inteligência paquistanês. Durante os quase dez anos de guerra, de 1979 a 1989, mais de 3 milhões de afegãos se refugiaram em Peshawar. Os mujahidins acabariam expulsando os soviéticos.

Aos nove anos, Gawhar não conhecia ainda a história da cidade. Peshawar significava simplesmente o período mais feliz da sua infância. Começou a estudar de novo numa escola, não precisava mais se esconder sob o véu quando brincava. Sentia-se livre.

Mas tudo mudou mais uma vez no dia 11 de setembro de 2001, quando os parentes chamaram a mãe para assistir ao que estava acontecendo na América.

RAFI
Eslováquia, 2001

Depois de quatro dias no campo de refugiados, os traficantes mandaram um recado. A fuga seria na noite seguinte. Trinta pessoas do seu grupo continuariam a viagem, incluindo a sua "família". A corrupção imperava na máfia do tráfico. Traficantes tinham agentes infiltrados dentro dos campos, funcionários também estavam envolvidos. O esquema de exploração quase sempre envolvia o suborno de policiais dos países da rota do tráfico.

Com o cartão de identificação, qualquer pessoa que estava em Adamov tinha permissão para sair e fazer pequenos passeios na redondeza. Antes do anoitecer do dia marcado, Rafi foi andando até o ponto de encontro. De lá, partiram em carros para as margens do rio Morava, um afluente do Danúbio. Apesar de Adamov-Gbely ficar apenas a vinte minutos de carro da fronteira com a Áustria, os traficantes não iriam arriscar viajar pela estrada.

Não era a primeira travessia de rio que faziam nesses quase três meses e meio de viagem. Mas depois de passar dias ouvindo a tragédia do médico afegão que perdera toda a sua família afogada, Rafi estava mais tenso. Ele não sabia nadar e não deixava de pensar nessa história. A apreensão era ainda maior porque aceitara ajudar um pai que tinha vários filhos e não conseguiria atravessar com todos. Levava ao colo o pequeno Sulaiman, que tinha apenas dois anos e meio. No bote inflável, iam ele, o menino, o traficante e outros dois homens. Rezava em silêncio, pedia ao profeta Maomé que os ajudasse e que nada de mau acontecesse.

Quando se aproximavam da margem austríaca, o traficante mandou que todos pulassem. O homem tinha pressa, queria voltar depressa para o lado eslovaco, não queria ser flagrado pela polícia da Áustria. Entre a margem e o bote, havia árvores e plantas, um trecho que deveria ser percorrido a nado ou a pé.

"Pulem, pulem", o traficante gritava. Os dois homens que estavam no bote pularam. Rafi se recusou. O traficante começou a aumentar o tom de voz, "Pula, pula". Rafi rebatia: "Não. Não pulo, chega mais perto da margem". O traficante resistia. Rafi não cedia e insistia que o outro aproximasse o bote até a margem. Rafi temia que ele e a criança se afogassem. O embate perdurou por incontáveis minutos. O homem acabou por chegar o bote mais perto da margem, mas ainda estavam longe da terra firme.

Com o braço direito, Rafi segurou Sulaiman o mais forte que conseguia, com a mão esquerda agarrou-se o mais firme que podia à vegetação e pulou. A correnteza o puxava para trás. Ao mesmo tempo que lutava para se equilibrar, Rafi tentava confortar e acalmar o menino afirmando que tudo ia dar certo. Mas o coração do bebê batia acelerado contra o seu peito. Tentou se manter tranquilo. Explicou a Sulaiman que iria primeiro empurrá-lo para cima e por alguns momentos a criança ficaria sozinha já em terra e deveria esperá-lo, sem sair do lugar. Ainda dentro d'água e apenas com a mão direita, empurrou Sulaiman e continuou agarrado às plantas lutando contra a força da água até chegar aonde o bebê estava. Sulaiman ainda tremia de medo quando o levou de novo ao colo, já em terra firme.

Rafi estava todo molhado, cheio de arranhões e de sangue pelos braços por causa da força com que agarrara os galhos e a vegetação. Mas tinham conseguido. Todo o grupo que saíra com ele de Adamov atravessara. Os pais de Sulaiman, a sua "família adotada", estavam sujos, maltrapilhos, cansados, feridos, famintos mas salvos na Europa Ocidental.

GAWHAR

Peshawar, Paquistão, novembro 2001-março 2002

Depois do Onze de Setembro, a mãe de Gawhar comprou uma televisão. A família assistiu ao início da guerra no Afeganistão e às notícias do país como se acompanhasse os capítulos de uma novela.

Foi pela televisão que, em dezembro, Gawhar soube de uma grande conferência, na Alemanha, quando foi anunciado o governo provisório para o Afeganistão. Viu um desconhecido virar o novo presidente do seu país. Assistiu à notícia da tomada de Kandahar, último reduto do Talibã, e ao bombardeio às cavernas de Tora Bora na caçada em vão para capturar o líder da Al-Qaeda, Osama bin Laden.

No início de 2002, as escolas para meninas no Afeganistão começaram a ser reabertas, e as professoras voltaram às salas de aula sem precisar usar burcas. O pai, que desde 11 de setembro não havia saído de Cabul, chegou a Peshawar em março. Iriam voltar para o Afeganistão.

A despedida de Gawhar foi traumática. O pai comunicou poucos dias antes que ela seria a primeira da família a voltar junto com a tia e passaria a viver na casa dos avós maternos. Ela nunca entendeu a decisão do pai e foi difícil perdoá-lo, mas vivia numa sociedade em que os filhos, sobretudo as filhas, não questionam os pais.

Não queria deixar a escola. Não queria deixar o Paquistão. Era feliz ali. Teve pouco tempo para dizer adeus às colegas, que, mesmo assim, escreveram bilhetes e cartões de despedida. Abraçou a professora.

Chegou em Cabul poucos dias antes do Ano-Novo afegão, celebrado em 21 de março, quando começa a primavera.

Daquele novo ano em diante, as decisões relativas à sua vida estariam para sempre interligadas aos atentados de Onze de Setembro e à Guerra ao Terror, ainda que a menina não soubesse. A novela se arrastaria por muitos anos, mais do que qualquer um seria capaz de prever.

RAFI

Áustria, 2001

Pela primeira vez em três meses e meio Rafi sentiu que estava do lado certo da fronteira. Dez minutos depois de começarem a andar, chegaram a uma rua com carros tão modernos como nunca haviam visto. Chamaram a atenção de imediato de quem passava. Os pedestres olhavam como se eles fossem todos extraterrestres. Estava na cara que não eram austríacos. Dez minutos depois chegaram os militares, alertados por um dos passantes. Mandaram que não se mexessem. Algemaram os homens. Pouparam as mulheres e as crianças. Caminhões do exército os levaram para uma instalação militar. Mulheres e crianças para um lado, homens para o outro. Ordenaram que tirassem a roupa para revistá-los. Os guardas tocavam em todas as partes do corpo, enfiavam inclusive o dedo no ânus dos homens à procura de drogas. Alguns de seus companheiros de viagem que tinham aguentado todos os perigos da travessia começaram a chorar. Sentiam-se humilhados. Mais uma vez imune ao ambiente ao seu redor, Rafi tentava ser pragmático, não se importava que o revistassem nem com a humilhação. O que importava era estar a salvo na Europa.

Rafi chegou à Áustria em 12 de outubro de 2001, cinco dias depois de os americanos e os britânicos bombardearem o Afeganistão iniciando a caçada a Osama bin Laden e a Guerra ao Terror de George W. Bush.

Mas esse ainda não era o seu destino. Rafi não tinha qualquer interesse em ficar à espera do contato dos traficantes para o levarem à Alemanha, onde moravam seus irmãos. Tinha decidido que sua vida não iria mais depender da máfia sem escrúpulos do tráfico. Dias depois de o mandarem para o maior campo de refugiados da Áustria, a uma hora e quinze minutos de Viena, vestiu um jeans, colocou gel no cabelo, um walkman nos ouvidos e tomou o trem para o país vizinho, ouvindo música, achando que conseguiria viajar de forma anônima como um jovem ocidental. Enganou-se.

Cinco minutos depois de o trem atravessar a fronteira com a Alemanha, dois homens vieram em sua direção. Perguntaram algo em alemão. Ele tentou aparentar alguma calma. Tirou os fones dos ouvidos e falou em inglês que não entendia o que estavam perguntando. Pediram o seu passaporte. Perguntaram de que país era. Rafi tinha sido apanhado. Eram policiais à paisana.

Foi levado à delegacia, depois para uma prisão. Na audiência com a justiça, explicou que havia fugido por causa do Talibã e que os irmãos eram cidadãos alemães. O juiz o mandou de volta para a prisão e duas semanas depois foi para uma delegacia de polícia, dessa vez, em Salzburgo, na Áustria.

Os policiais deixaram que Rafi ligasse para sua irmã. Entrou com o pedido de asilo, que lhe foi negado. No final de 2001, as autoridades austríacas não viam mais perigo em Cabul, alegavam que o Talibã havia sido expulso e que Rafi podia voltar ao seu país de origem.

Iraque

Faleeha nasceu em Najaf. Gena, em Bagdá. São de diferentes gerações e não têm nada em comum além de terem sido, ambas, obrigadas a abandonar o Iraque. O sonho da mais jovem é morar no país onde a mais velha vive um pesadelo.

FALEEHA

Najaf, Iraque, 1980-88

Foi aos doze anos e por meio de um sussurro que Faleeha ouviu pela primeira vez o nome de Gabriel García Márquez. Era aos cochichos que os iraquianos sugeriam livros proibidos durante os 24 anos do regime de Saddam Hussein. Enquanto não conseguia uma cópia, Faleeha não dormia. Não tinha dinheiro para comprar os livros, por isso sempre os pedia emprestados. Escondia-os dentro da *abaya*, o tradicional vestido comprido que cobria todo o seu corpo, com exceção das mãos, pés e rosto. Depois, quando chegava em casa, com uma caneta transcrevia o livro em seus cadernos. Palavra por palavra, linha por linha, página por página, o livro inteiro.

Quando começou a guerra entre o Irã e o Iraque, em 1980, a diretora da escola chamou todas as alunas e avisou que iam ficar sem aulas durante dez dias. As aulas recomeçaram no prazo, mas a guerra só terminou em 1988. Nesses oito anos, autores como Italo Calvino, Franz Kafka e Federico García Lorca foram sendo sussurrados aos ouvidos de Faleeha.

A paixão pelos livros começara na infância. Aos sete anos, a vizinha a levou para se matricular na escola. O pai, que trabalhava numa biblioteca durante o dia e no restaurante do irmão à noite, lhe trazia livros da sua idade, mas eram os grandes nomes da literatura que a interessavam. Foi a primeira mulher da família a entrar para a universidade.

A primeira vez que leu os poemas do espanhol Lorca não compreendeu o significado. Na maioria das vezes também não entendia o que estava escrito nos livros de Italo Calvino, mas conseguia respirar a poesia nas palavras do escritor italiano. Não desistia. Em 1988, ano do fim da guerra entre Irã e Iraque e depois de ter ido ao campo de batalha à procura do pai, releu Lorca e começou a entender a poesia do escritor fuzilado na guerra civil espanhola. Faleeha tinha vinte anos. Já não era mais a mesma menina do início da guerra.

Entre todos os grandes escritores ocidentais, o seu preferido era Gabriel García Márquez. Lia tudo o que conseguia do autor colombiano. *O outono do patriarca* era seu livro predileto. A cena mais marcante para Faleeha era a das vacas espalhadas pela varanda do palácio do general fictício que dominou com mãos de ferro um pequeno país imaginário. García Márquez dizia que era o seu melhor livro, transgressor na linguagem e nascido da nostalgia de um país.

GENA

Bagdá, Iraque, abril de 2003

Gena estava comendo um pêssego no jardim dos avós quando sentiu o gosto da guerra pela primeira vez.

Os avós maternos moravam do outro lado da rua, numa casa ainda maior do que a sua no bairro de Adamiyah, um dos mais antigos e luxuosos de Bagdá. Quando ficou claro que a ocupação americana era inevitável, foram morar todos juntos. Os tios, irmãos da mãe, também vieram morar com os avós de Gena. O pai aparecia cada vez menos em casa.

Naquela noite de abril, Gena, os avós e a mãe estavam sentados conversando no jardim e comendo frutas quando ouviram os passos dos soldados americanos na rua. Do jardim da casa da avó podiam ver os militares armados, mas os soldados não os viam. Quando os americanos pararam em frente à casa, Gena sentiu uma dor forte no estômago e parou imediatamente de morder o pêssego. Nesse momento descobriu que a guerra era real.

No dia seguinte, os soldados chegaram sem avisar: entravam nas casas sem serem anunciados à procura de armas. Adamiyah era o reduto de Saddam Hussein; o último bairro a cair nas mãos das tropas americanas e onde o ditador iraquiano foi visto pela última vez antes de fugir e de ser capturado, nove meses depois.

Um mês depois da chegada dos americanos, a família da Gena atravessou a rua e voltou a morar na própria casa: uma residência grande de dois andares que ficava no meio do terreno com um pequeno jardim à frente, um jardim maior atrás e uma piscina.

Quando o pai aparecia, dizia aos filhos para não se preocuparem. Mas ele raramente estava em casa.

FALEEHA

Najaf, Iraque, 1991

Como as personagens de Gabriel García Márquez que tanto lia, Faleeha sempre acreditou no poder de premonição dos seus sonhos.

Dessa vez havia sonhado que alguém atirava contra a bandeira do Iraque e o retrato de Saddam Hussein, pendurado na sala, caía no chão.

Ele tinha que estar em todas as casas. Quanto mais retratos, melhor. Na sala, era indispensável. Se um vizinho chegasse e não visse o retrato do presidente iraquiano, Faleeha corria o risco de ser denunciada sobretudo em 1991 durante a primeira Guerra do Golfo, quando os americanos lideraram uma coalizão para expulsar as tropas iraquianas do Kuwait. Saddam Hussein a batizou de a "mãe de todas as batalhas". Perdeu.

No decorrer da operação militar americana Tempestade do Deserto, o irmão e os seis primos de Faleeha se recusaram a continuar lutando. Atravessaram o deserto a pé para sair do Kuwait até Najaf, como milhares de soldados que desertaram. Passaram pelos poços de petróleo em chamas, o que provocou problemas graves no pulmão do irmão. Levaram cinco dias para caminhar os quase seiscentos quilômetros. Acabaram numa prisão do regime onde os prisioneiros morriam ou desapareciam e surgiam em valas comuns de tanto que eram torturados. A fome era tamanha que um dos primos comeu as folhas do Alcorão de bolso que a mãe lhe dera de presente antes de ir para a guerra. O irmão de Faleeha nunca mais foi o mesmo. A violência grudou na alma.

Em 1991, Faleeha não assistiu pela CNN, em tempo real, a Guerra do Golfo. Ter antena parabólica no Iraque podia dar cadeia. Não viu as imagens esverdeadas que transformavam o combate num jogo, como se não houvesse sangue, mortos nem feridos.

No mesmo ano em que a guerra acabou, Faleeha usou o dinheiro do dote de noivado para publicar o seu primeiro livro. Tornou-se a primeira mulher a publicar um livro de poesia em Najaf. Já o casamento arranjado só iria lhe trazer infelicidade.

Quando acordou do sonho, o retrato de Saddam Hussein permanecia na parede.

GENA

Bagdá, Iraque, abril de 2003

Gena ainda dormia quando o soldado entrou no seu quarto às seis da manhã de um fim de semana.

"Bom dia, querida", disse o militar americano armado em seu uniforme de guerra.

"Desça para a sala que eu não vou machucar você", ordenou. Como uma autômata, Gena obedeceu.

As aulas recomeçaram. Tinham sido suspensas durante os bombardeios, quando era possível ouvir os caças americanos rasgarem o céu de Bagdá. Na volta à escola, alunos e professores agiam como se tudo estivesse normal.

Aos dez anos, Gena passava a assistir ao fim da sua infância privilegiada.

FALEEHA

Najaf, Iraque, março de 2003

Essa guerra era assustadora mesmo para quem tinha crescido "à velocidade da guerra", como Faleeha escreveria um dia num de seus poemas. Era mais assustadora que as de Saddam Hussein contra o Irã, o Kuwait, os curdos. Pela primeira vez, as mulheres, acostumadas a mandar os maridos, os filhos e os pais para o combate, estavam no campo de batalha. A guerra havia chegado em casa.

Faleeha não tinha prestado muita atenção aos boatos de que os americanos iriam derrubar Saddam Hussein. Não tinha tempo. Como professora de árabe, ganhava cerca de dois dólares por mês e conseguia um dinheiro extra datilografando teses de mestrado e doutorado. Precisava sustentar as três filhas e o filho. Não podia contar com o marido, que cada vez mais tinha ciúmes do seu sucesso como escritora. Acordava às cinco da manhã para fazer a comida, arrumava as crianças cedo para levá-las à casa dos pais e só as buscava à noite. Debaixo do travesseiro, guardava seu diário. Escrever arrancava do peito as memórias da guerra.

Via tantos soldados, tantas tropas iraquianas marchando nas ruas que quando disseram que a América atacaria não acreditou que o Iraque fosse perder. Já tinha visto tantas guerras, mas Saddam Hussein sempre ficava no poder qualquer que fosse o desfecho do conflito. Não tinha telefone. Não existia internet no Iraque e só percebeu que a mudança chegaria quando começou a ouvir os caças americanos. A batalha de Najaf duraria três dias.

O pai foi arrastado de novo para o combate como "voluntário", como era chamado quem era forçado pelo regime a lutar. Aos 55 anos, cego de um olho, era obeso e tinha problemas nos rins, mas mesmo assim foi "recrutado". Pela segunda vez na vida, Faleeha tentou tirar o pai do campo de batalha. Enquanto ela tentava fugir das bombas americanas, um estilhaço perfurou e rasgou a *abaya*, mas ela não se machucou. O pai se negou a voltar com a filha. Chegou em casa, no fim da batalha, ferido na perna direita. Nunca falaram sobre o que havia sentido.

Ninguém sabia onde estava o ditador nem quem comandava o país. Estavam abandonados à própria sorte. Tudo desapareceu num estalar de dedos.

Essa era uma guerra diferente, agora o Iraque era um país ocupado.

GENA

Bagdá, Iraque, 2005

O barulho a deixou surda por alguns minutos. Alunos com lágrimas nos olhos corriam aos gritos pela escola. Pelo menos era isso o que Gena percebia a partir do movimento dos lábios dos colegas. Parecia estar assistindo a um filme em câmera lenta. Partes de um carro voavam pelo ar. A visão ficara turva com a fumaça da explosão. Gena esperava a mãe, que participava de uma reunião com a professora, quando os estilhaços da vidraça se enroscaram nos fios do seu cabelo. O carro tinha explodido junto do muro da escola.

Os atentados se multiplicavam por toda a capital. Havia explosões por toda parte. Quando não eram os atentados, eram os esquadrões da morte, as gangues, as execuções sumárias nas ruas.

Às quatro da manhã era comum ouvir gritos de socorro que só silenciavam no amanhecer, quando os corpos apareciam nas ruas. Os iraquianos morriam como moscas.

Nos mercados, adultos eram abordados por desconhecidos que perguntavam se eram xiitas ou sunitas. Podiam ser mortos se dissessem que eram xiitas, podiam ser mortos se dissessem que eram sunitas. Era uma roleta-russa. Um vizinho sunita tinha morrido assim.

Quando era pequena, os pais diziam para nunca falar mal ou criticar Saddam Hussein. Agora não podiam dizer de que seita religiosa eram. Ninguém sabia mais o que dizer ou como agir.

Gena é sunita, por parte do pai. Sua mãe é xiita.

FALEEHA

Najaf, Iraque, 2003

No dia em que Saddam Hussein foi capturado pelas tropas americanas, 13 de dezembro de 2003, Faleeha já havia retirado o retrato do ditador da parede.

A foto era um dos poucos objetos que restaram na sala. Não havia mais sofá nem cadeiras. Nos treze anos do embargo, das sanções econômicas contra o Iraque, vendera a máquina de lavar roupa e tudo o que podia. Só tinha ficado com as roupas e com os utensílios da cozinha. Comprava comida com o dinheiro dos bens vendidos. Usava o grão-de-bico para fazer farinha de pão. A ração do governo não bastava.

A professora tinha a certeza de que o sunita Saddam Hussein não perseguia nem massacrava apenas xiitas e curdos, mas sim qualquer sunita que achasse que se opunha ao seu governo. O problema não era a religião, mas a obsessão pelo poder. A sentença de morte para quem Saddam considerava inimigo ia até o quarto grau de parentesco.

Faleeha é xiita e vive em Najaf, a menos de sessenta quilômetros da mítica Babilônia. Najaf é a cidade sagrada mais importante para os muçulmanos xiitas, que acreditam que Ali, primo de Maomé, é o sucessor do profeta, em oposição aos sunitas, que defendem que a sucessão não precisa ser baseada no parentesco. Najaf é para os xiitas o que o Vaticano é para os católicos.

Os amigos de Faleeha são xiitas, cristãos e sunitas. Sempre conviveram sem pensar na religião do outro. Mas a situação mudou quando as tropas da coalizão lideradas pelos americanos chegaram.

Quem era ligado ao regime de Saddam Hussein começou a desaparecer. Gente que era muito pobre passou a ter muito poder. Um vizinho que todos achavam que era mudo de repente a cumprimentou. Durante treze anos fingia ser mudo para não ser recrutado pelo exército. Mulheres eram decepadas. As execuções aconteciam em praça pública.

O atentado à sede da ONU em Bagdá, em agosto de 2003, inaugurava a temporada dos atentados cada vez mais mortíferos. Dez dias depois das Nações Unidas, foi a vez da mesquita de Imam Ali na sua cidade Najaf. Quase cem pessoas morreram, incluindo um dos maiores líderes xiitas do país, no ataque mais violento do primeiro ano da ocupação americana. Explosões, atentados suicidas e execuções sumárias aconteciam todos os dias. O único dos seis primos, que ainda estava vivo, foi executado na porta de casa. Ninguém soube quem o havia assassinado. A tia não tinha mais filhos para enterrar.

GENA

Bagdá, Iraque, 2003

Gena nunca pensou que sunitas e xiitas se odiassem. Os avós maternos eram xiitas; a avó paterna, sunita; o avô, xiita; o pai decidira se converter e era sunita. O casamento dos pais não tinha sido arranjado pelas famílias. O pai se apaixonara pela mãe quando a tinha visto nadando num riacho numa época em que as mulheres iraquianas podiam usar biquíni em público. Não eram uma família religiosa.

O pai chegava e desaparecia sem qualquer aviso. Era muito sério, falava pouco. Nos primeiros dois meses e meio da ocupação americana, só via o pai quando ele vinha abastecer a família com mantimentos.

A avó contara que o pai havia desaparecido pela primeira vez aos dezessete anos. Os avós se desesperaram, foram à polícia, ao necrotério, aos hospitais. Três meses depois, ele voltou para casa. Disse que tinha viajado para Viena. Os pais estranharam e fizeram perguntas. O filho se negara a falar. O assunto foi encerrado.

A mãe contara que, quando se casaram, o pai era conhecido em Bagdá. Quando se apresentava, o engenheiro não escondia para quem trabalhava. Até os avós acabaram descobrindo. Mas, em 1993, começou a dizer a todos que tinha mudado de emprego; agora geria uma fábrica de tijolos. O pai era engenheiro eletrônico e tinha uma fábrica de tijolo. Era tudo o que Gena sabia. A mãe sabia que era meia verdade.

De vez em quando, a menina ouvia as conversas entre a mãe e a tia, "Ele foi de novo", "Ele não voltou até agora", "Saddam".

Até que um dia a mãe revelou qual era o trabalho de seu pai.

FALEEHA

Bagdá, Iraque, 2006

Quando acabou seu mestrado em literatura árabe, Faleeha quis dar aulas na universidade. Precisava de um certificado do Ministério da Educação e viajou para Bagdá. A espera na repartição pública foi infrutífera, não conseguiu o documento, mas não teve como esquecer o que aconteceu na volta.

Preparava-se para embarcar quando viu o motorista discutindo com duas mulheres xiitas que carregavam uma caixa. As mulheres imploravam para embarcar, mas o ônibus acabou partindo atrasado sem as duas passageiras. O motorista proibiu que as duas entrassem com a caixa que tinha a cabeça do irmão de uma delas. Exigia ver o resto do corpo. As duas choravam dizendo que a cabeça era a única parte que havia sido encontrada depois de um atentado. Queriam enterrá-la na cidade sagrada de Najaf. Faleeha ficou em choque.

Os americanos prometeram a eles uma vida melhor, mas os tanques ocupavam as ruas das grandes cidades, e iraquianos de quem nunca tinha ouvido falar voltavam ao país para ocupar cargos importantes do governo. Nas ruas, a justiça era feita pelas próprias mãos, como nos filmes de faroeste. Sunitas matavam xiitas. Xiitas matavam sunitas. Soldados americanos matavam civis iraquianos. Militares americanos morriam em ataques contra as tropas estrangeiras. Sair de casa e voltar viva era uma loteria.

Voltou a sonhar. Dessa vez, os americanos bombardeavam e ocupavam todas as cidades do Iraque. Ela não tinha mais casa. Não havia mais lugar para ir com a família. De repente, um oficial do exército dos Estados Unidos chegava e a colocava num avião junto com dois de seus quatro filhos.

Acordou achando que estava voando para muito longe. Continuava acreditando em premonições.

GENA

Bagdá, Iraque, 2006

Gena olhava pela janela de casa à espera do ônibus escolar quando um carro cinza-claro parou em frente. O motorista saiu, abriu o porta-malas e tirou um homem vendado lá de dentro. O desconhecido começou a correr, em desespero. O motorista o executou à queima-roupa em frente à menina de doze anos.

Nunca esqueceria o instante da execução. Os pais vieram correndo ao ouvir o estampido. Ficaram os três petrificados olhando para o corpo estendido. Ninguém disse nada.

O motorista entrou no carro em que três homens o esperavam e partiu. O corpo ficou na rua. Nenhum dos ocupantes era iraquiano. Também não eram americanos. Podiam ser jordanianos, sírios, bengalis, somalis, egípcios, paquistaneses, afegãos... Desde o início da guerra em 2003, estrangeiros chegavam ao país; homens com sotaques diferentes, barbas longas e cabelos compridos.

Quinze minutos depois, o ônibus chegou. Gena entrou sem dizer bom-dia. Os colegas estranharam. Com o dedo apontou para o corpo. As crianças começaram a chorar. Ela não tinha lágrimas. Ainda iam buscar um colega que morava na rua de trás, mas tiveram que dar meia-volta. A área estava interditada por causa de outro corpo estirado no meio da rua.

Gena tinha prova de ciências nesse dia. Estava no sétimo ano de uma escola para crianças com QI elevado. Fez o exame como se fosse um dia normal, igual a todos os outros.

Quando voltou para casa, a mãe desabafou: estava arrependida de ter deixado a filha ir à escola. Gena não respondeu. De manhã ela assistira a uma execução sumária. Quinze minutos depois tinha ido para a escola e tirara a nota máxima no teste de ciências.

Dois mil e seis foi o ano mais perigoso de sua vida. Foi também o ano em que mais civis morreram no Iraque: mais de 34 mil. O Iraque agora ocupava o primeiro lugar entre os países com mais mortes provocadas por atos terroristas em todo o mundo.

Até hoje a imagem daquele homem a atormenta como a de um fantasma.

FALEEHA

Najaf, Iraque, 2003-10

Com o novo regime, Faleeha teve um aumento de salário pela primeira vez em 24 anos de profissão. Passou a ter televisão via satélite e a saber o que acontecia no mundo por meio dos canais internacionais, mas não tinha eletricidade todos os dias. Havia noites em que só tinha luz durante três horas. Comprou um telefone e nos cafés já podia usar a internet. Conseguiu até juntar dinheiro para comprar casa própria. Mas as notícias boas não a impediam de ver o que acontecia ao seu redor.

O dia mais triste foi quando destruíram e saquearam o Museu Nacional de Bagdá. Durante três dias, a multidão roubou 15 mil antiguidades de até 4000 a.C. As tropas americanas nada fizeram, e as autoridades dos Estados Unidos se limitaram a dizer que "coisas assim" aconteciam. Haviam lhe arrancado tantas vidas, mas agora lhe tiraram o que havia de mais precioso para um povo, para um país: a sua cultura. Ficou doente por três dias.

Os pais morreriam ainda nos primeiros anos da ocupação. A mãe sempre fora muito doente, mas o pai era o seu alicerce. Sempre lhe dera o apoio para estudar, para entrar na universidade, para escrever, para ser poeta. Quando começou a publicar livros e a ganhar a inimizade de tantos colegas escritores homens, o pai a defendia. Quando estava sozinha e era a única mulher na União de Escritores Iraquianos, o pai a incentivava a continuar. Vibrava com cada prêmio que ganhava. Sem ele nem a mãe por perto, sentia-se perdida.

Divorciou-se. Nunca tinha sido feliz no casamento. Quanto mais sucesso como poeta e escritora, maiores eram os problemas em casa. O ex-marido tinha inveja da sua carreira. Já havia terminado o mestrado e começado um doutorado em literatura árabe. Tinha dez livros publicados. Além da poesia, Faleeha era uma ativista dos direitos das mulheres num país onde as mulheres não tinham praticamente direitos.

Mas um dia uma amiga ligou para dizer que seu nome estava numa lista de intelectuais que estavam marcados para morrer.

GENA

Bagdá, Iraque, 2006

Gena ouviu um barulho ensurdecedor perto de casa. A família se assustou. Parecia uma explosão.

O pai sabia que um dia viriam atrás dele. Sabiam quem ele era. Talvez tivesse chegado a hora. Já combinara com o vizinho que pularia o muro que separava o jardim das duas casas para fugir. Pediu que a filha subisse até o terraço para ver se não havia ninguém por perto para poder começar a fuga.

Gena obedeceu e subiu as escadas, mas quando abriu a porta do terraço deu de cara com um desconhecido encapuzado e vestido de preto. O homem armado mandou que ela voltasse a entrar em casa e desse um recado ao pai. Ainda não era dessa vez que o levariam. Estavam atrás do vizinho, um diplomata iraquiano. Mas o próximo da lista seria o seu pai.

Quando chegou ao térreo, o pai já estava no jardim, onde acabou sendo parado por outros homens vestidos de preto que o mandaram de volta para casa e ordenaram que trancasse a porta. Estavam sitiados na própria casa.

O grupo sequestrou o vizinho que havia sido embaixador num país europeu durante o regime de Saddam Hussein. Em 2006, os sequestros eram comuns no Iraque. Podiam acabar com a morte do sequestrado ou não. O diplomata teve sorte. Deu as informações que queriam e foi libertado seis meses depois.

O pai de Gena sabia que agora era uma questão de tempo.

Gena agora entendia o porquê. O pai trabalhava no Mukhabarat, o temido serviço de inteligência do partido de Saddam Hussein.

FALEEHA

Najaf, Iraque, 2011

Faleeha custou a acreditar que seu nome estava numa lista junto com outros artistas e intelectuais condenados à morte por uma milícia ligada ao governo. Resolveu ir a um café onde havia internet e encontrou a publicação on-line, no site de um jornal. A relação foi publicada pelo menos três vezes. Estava assustada. Devia partir. Seria a primeira da família a fugir do Iraque.

Tinha sobrevivido aos oito anos da guerra entre o Irã e o Iraque, à primeira Guerra do Golfo, aos treze anos de embargo econômico imposto contra o Iraque e à ocupação dos americanos, mas agora precisava fugir do país que amava, deixar o emprego, a carreira, os irmãos e as irmãs, os amigos e as duas filhas. Queria levar os quatro filhos, mas, como as duas meninas mais velhas eram adolescentes, Faleeha precisava da autorização do ex-marido. Ele não autorizou. Se fossem meninos poderiam ter viajado com a mãe.

Faleeha partiu com o casal de filhos ainda crianças para a Turquia em 2011, o mesmo ano em que as últimas tropas americanas deixaram o Iraque, dando fim a quase oito anos da ocupação estrangeira no país. Em 2011, pelo oitavo ano consecutivo, o Iraque ocupou o primeiro lugar no ranking de países com mais mortes provocadas por terrorismo.

A poeta e professora só não imaginava que, um ano e meio

depois, moraria no país que provocara grande parte dessa violência ininterrupta no Iraque.

GENA

Bagdá, Iraque, 2006

O ruído começou por volta da meia-noite e não parou até as duas da madrugada. Vinha do jardim dos fundos. Não havia eletricidade, e com um terreno de mais de oitocentos metros quadrados era difícil identificar o que estava acontecendo. O pai de Gena tentou tranquilizar a família dizendo que talvez fosse um gato ou um cachorro. Gena não acreditou.

Aos poucos as visitas dos soldados americanos foram sendo substituídas pelos ataques das gangues que naquele momento atuavam em Bagdá. Eram várias e de diferentes facções. Podiam ter motivação política ou religiosa ou nenhuma das duas. O pai estava apreensivo.

Nos dias seguintes, por meio de relato dos vizinhos, descobriram que os criminosos estavam enterrando algo no jardim da casa. Quem sabe armas, quem sabe corpos. Não podiam sair de casa. Deviam ficar trancados. Não era só o pai que poderia ser sequestrado ou assassinado. Toda a família corria risco de vida.

Era hora de abandonar o Iraque. O pai levaria a mulher, o filho e as quatro filhas para a Síria. E voltaria para tomar conta da casa. Recusava-se a deixar seu país. Combinaram que a família retornaria dali a seis meses, quando esperavam que a situação se acalmasse.

Gena separou algumas roupas de inverno, o seu diário e as fotos dela e dos pais. Todo o resto ficou para trás. Não teve tempo de pensar no que precisava levar. Na véspera da partida, menos de uma semana depois do incidente no jardim, foram dormir na casa dos avós maternos, os únicos que sabiam da fuga e que, uma semana depois, também viajariam para a Síria.

Partiram para Damasco no dia 6 de dezembro de 2006. Vinte e quatro dias depois, em 30 de dezembro, Saddam Hussein foi executado por enforcamento pouco antes do amanhecer e das primeiras preces do dia.

Paquistão

Ahmer e o general Ehsan Ul-Haq não se conhecem nem vão se conhecer. Estão em lados opostos de uma guerra sem fim. O menino de treze anos foi treinado para odiar e para matar militares paquistaneses. O general, que foi espião-chefe do serviço secreto, foi instruído a caçar terroristas. Entre os dois, todo um povo refém.

AHMER

*Território Federal das Áreas Tribais, Paquistão, 2008**

Ahmer foi treinado nos mínimos detalhes. O seu colete não estava muito apertado. Era um pouco mais fino do que aqueles usados pelos militares das forças de segurança.

* O Território Federal das Áreas Tribais fica no noroeste do Paquistão, na fronteira com o Afeganistão. É povoado por tribos, a maioria delas pashtuns. Tinha autonomia em relação ao governo federal até 2019 e uma população de cerca de 3,2 milhões de habitantes. O local serviu de refúgio para Osama bin Laden, membros da Al-Qaeda e talibãs afegãos. (N.A.)

Os militantes talibãs o trouxeram de carro até a mesquita. Além dos explosivos amarrados ao corpo, segurava uma pistola numa das mãos e uma granada na outra. Havia sido instruído para jogar a granada numa direção e, quando as pessoas em pânico corressem para o lado contrário, ele iria para a mesma direção que elas, provocando um número maior de vítimas. A instrução era esta mesmo: matar o maior número possível de xiitas.

Quando entrou na mesquita, havia muita gente rezando. Por que tinha mesmo que matar os xiitas? Não eram também muçulmanos? Nas últimas semanas e meses, os comandantes talibãs tinham repetido centenas de vezes que os xiitas não eram muçulmanos e que haviam insultado os califas e que ele iria para o paraíso se os matasse.

Uma torrente de pensamentos confusos o dominava havia quase um mês. Sua cabeça agora estava prestes a explodir. Dias antes, ele pedira para ver o pai. O comandante havia negado. Tinha descoberto que o pai andava à sua procura nos últimos tempos. Era por isso que o tinham mandado para tantos campos de treinamento diferentes: para que seu pai não o encontrasse.

No último mês recebera o treinamento especial. Os meninos que iam cometer atentados suicidas eram separados dos demais antes da missão. Ensinaram-no a usar o colete-bomba. Vestiram-no com o cinto cheio de explosivos e explicaram como funcionava e o que tinha que fazer para detonar os explosivos na hora certa. Havia várias maneiras de ativar o mecanismo. Podia ser por meio do walkie-talkie, e nesse caso seria ativado por outra pessoa. Mas o seu colete não iria pelos ares desse modo. Seria ele próprio que o acionaria. Nesse caso um fio da cor da pele se estendia até a palma da sua mão, onde estava o pino que ele detonaria com o movimento dos dedos.

A pistola que tinha na outra mão serviria para matar o guarda. Mas nesse momento só conseguia olhar para as pessoas prostradas rezando. Ahmer tinha treze anos.

EHSAN UL-HAQ

Peshawar, Paquistão, 7 de outubro de 2001

Ehsan Ul-Haq acompanhava o plantão de notícias quando o telefone tocou. Naquela noite, o noticiário não era claro sobre o que de fato estava acontecendo do outro lado da fronteira, a pouco menos de duas horas de Peshawar, onde ficava o seu posto de comando. Só havia uma certeza: os Estados Unidos estavam bombardeando o Afeganistão. Era o início da chamada Operação Liberdade Duradoura. A guerra começara.

Do outro lado da linha, o presidente do Paquistão, Pervez Musharraf, perguntou como ele estava. Ehsan respondeu que estava bem. O presidente prosseguiu e comunicou que no dia seguinte ele teria que estar em Islamabad, onde assumiria a direção-geral do serviço de inteligência do Paquistão (ISI).

Havia apenas cinco meses, Ehsan Ul-Haq fora nomeado comandante do batalhão responsável por defender os 2500 quilômetros de fronteira entre o Paquistão e o Afeganistão. Eram uma região e uma cultura que o general conhecia bem. Tinha nascido em Mardan, a pouco mais de duas horas da fronteira e das áreas tribais. Era pashtun, a maior etnia do noroeste paquistanês e a maior do Afeganistão. Antes havia sido diretor da inteligência militar, mas assumir o poderoso e temido serviço de inteligência paquistanesa nesse momento era algo inesperado.

No dia 8 de outubro de 2001, enquanto os caças americanos e britânicos bombardeavam o Afeganistão, o general Ehsan Ul-

-Haq chegava a Islamabad, onde seria lançado para o epicentro da caçada a Osama bin Laden e da Guerra ao Terror. Todos os holofotes estavam virados para as Forças Armadas paquistanesas, para o seu serviço de inteligência e para aquele general que passara a ser o chefe dos espiões do Paquistão da noite para o dia.

AHMER

Vale do Swat, Paquistão, 2008

Eles começaram a aparecer na sua aldeia quando Ahmer tateava a adolescência.

Um dos centros de treinamento era em frente à sua escola. Faziam comícios e discursos apaixonados, inflamados. Eram contra os criminosos e combatiam o tráfico de drogas. Falavam bem, eram articulados, impressionavam Ahmer, que ficava admirado com as preleções, os carros mais modernos e as armas potentes que exibiam. Eram respeitados pela comunidade.

Vivia numa aldeia de uma região onde todas as famílias tinham armas. Entre os pashtuns, era comum colecionar armas antigas e mais modernas. Com cinco anos já ajudava a limpar as armas. Aos nove, aprendera a usar uma pistola. As armas eram utilizadas nas caçadas e na proteção própria, para a defesa da honra. Mas nenhuma delas se comparava às AK-47 e ao armamento que os militantes usavam.

Pais pobres como os de Ahmer não tinham muito tempo para os filhos. Era o mais velho de seis irmãos, e os pais nunca perguntavam aonde ia nem apresentavam interesse pelas suas notas. Só sabiam que o filho ia para a escola. Passava o dia inteiro brincando, jogando bola, adorava futebol e críquete. Só homens e rapazes eram vistos andando pela aldeia numa sociedade e cultura conservadoras em que as meninas e mulheres ficavam em casa. Nunca tivera contato com mulheres, exceto com a sua mãe.

Os talibãs atravessavam a rua para conversar com os meninos. Os colegas começaram a aderir. Um dos talibãs passou a vir com frequência falar com Ahmer com entusiasmo sobre o Islã e as boas intenções que tinham. Na mesquita, eram os responsáveis por recolher as doações e promover as ações de caridade. Distribuíam fitas cassetes com clips musicais para motivar os mais jovens. O ambiente era eletrizante.

Um dia Ahmer resolveu se juntar ao grupo, foi para casa, colocou uma muda de roupa na mochila e não avisou a ninguém que estava indo embora. Foi até a madrassa, escola religiosa islâmica, de onde o levaram para o centro de treinos e depois para um dos principais campos de treinamento nas áreas tribais do Tehrik-i-Taliban (TTP) — o Talibã paquistanês. Ahmer estava entusiasmado. Aos treze anos, sentia que estava abrindo a porta para um mundo de aventuras.

EHSAN UL-HAQ

Islamabad, Paquistão, 15 de dezembro de 2019

Quando entrevistei o general Ehsan, perguntei se ele havia lido o documento com seu perfil feito pela DIA, a Agência de Inteligência do Pentágono. Era um documento confidencial que foi tornado público. Ele disse que não se lembrava, mas pediu que eu lesse para ele.

Agência de inteligência militar
Perfil de liderança militar: Paquistão
General Ehsan Ul-Haq
Junho de 2002

Nome: General Ehsan Ul-Haq, Exército do Paquistão
Cargo: Diretor-Geral dos Serviços de Inteligência (DGISI) desde 6 de outubro de 2001
Importância: O general Ehsan foi promovido para este cargo numa mudança inesperada do presidente Pervez Musharraf. Ehsan, que tem uma visão islâmica moderada, substituindo o mais conservador general Mahmud Ahmed que se aposentou. [...]. Tido como um oficial expedito com a confiança de Musharraf. É considerado seu protegido. Os dois parecem ter uma relação estreita.

O general Ehsan Ul-Haq interrompeu com sua voz grave e um sorriso dizendo que eles haviam exagerado.

Continuei lendo:

O general é um oficial de defesa aérea. Parece ter uma perspectiva geral do que está em jogo e costuma dizer o que pensa aos oficiais dos Estados Unidos. Ehsan afirmou que o objetivo da política do Paquistão é tentar moderar o comportamento do Talibã. Dados os eventos recentes, ele acredita que indivíduos, e não a população em geral, devam ser o alvo e que os Estados Unidos têm que evitar a aparência de estar invadindo ou ocupando o Afeganistão.

Ehsan Ul-Haq interrompeu mais uma vez para dizer que estava certo, "não estava?".

Antes do golpe militar de outubro de 1999, Ehsan era um dos poucos oficiais militares que frequentavam o circuito de jantares, festas e seminários em Islamabad.

Dessa vez, o general deu uma gargalhada: "Festas...".

Musharraf usa as conexões sociais do general Ehsan com políticos e formadores de opinião para pedir conselho de comentadores proeminentes sobre como conseguir tornar as decisões governamentais mais palatáveis e aceitáveis, bem como entrevistar potenciais membros civis do governo.

Ehsan parece um grande apoiador da democracia, pregando que o Paquistão precisa de um legítimo governo democrático, e não uma quase democracia ou uma democracia apenas de nome, como se vê em outros países.

Mais uma vez o general interrompeu para dizer que era "verdade".

Considera o atual período de governo militar como uma oportunidade para se livrar de políticos corruptos e para criar um sistema de controle e equilíbrio dos processos para atrair políticos honestos ao governo.

Ehsan parece ser aberto aos oficiais americanos. Ele fala com apreço do seu treinamento em Fort Lee, Virgínia, em 1989.

Carreira: Um oficial da defesa aérea, Ehsan entrou para o Exército paquistanês em 16 de abril de 1968. Formou-se na Faculdade do Comando Militar de Quetta e fez o prestigiado curso de guerra das Forças Armadas na Universidade Nacional de Defesa em Islamabad. Ehsan recebeu treinamento de defesa aérea na Arábia Saudita e na China e participou do curso de liderança e gestão executiva do exército dos Estados Unidos em Fort Lee, Virgínia, em 1989. Outros detalhes de sua carreira são incompletos. [...] Ehsan foi duas vezes diretor de operações de inteligência militar no quartel-general do exército em Rawalpindi e vice-secretário militar também no quartel-general. Foi promovido a general em abril de 2001, antes de ser nomeado comandante do 11º batalhão, em maio.

Ehsan Ul-Haq disse que achava que já havia lido parte desse perfil e que não sabia que tinha deixado de ser confidencial.

AHMER

Território Federal das Áreas Tribais, Paquistão, 2008

Ahmer acordava cedo no campo de treinamento. Entre seis e oito da manhã, lia e recitava o Alcorão em árabe de cor apesar de não entender uma palavra do que estava lendo. Em seguida, estudava o Hadice, um conjunto de histórias, ações e ensinamentos do profeta Maomé.

A partir das oito horas, assistia a palestras contra as Forças Armadas paquistanesas. Os imãs que lideravam as preces, e os comandantes talibãs diziam que o Exército paquistanês obedecia ao Exército americano, portanto eram ambos infiéis e não muçulmanos, por isso era preciso matá-los. O Talibã paquistanês declarara Jihad — a guerra santa — aos militares paquistaneses. Nas palestras, também aprendiam que os xiitas eram igualmente infiéis.

Ninguém mencionava o nome de Osama bin Laden nem os atentados de Onze de Setembro. O alvo eram as tropas paquistanesas.

Depois das palestras, partia para o treino físico: subia e descia o morro carregando armamento pesado. Antes de chegar ao campo, Ahmer só sabia disparar pistolas, mas agora estava aprendendo a usar AK-47 e lança-granadas e a fazer bombas. Às duas da tarde, depois do almoço, estavam dispensados das tarefas de grupo, mas tinham que ouvir fitas cassetes com mais palestras sobre a Jihad contra o exército do Paquistão.

À noite, a cada seis horas, revezava-se com os outros no patrulhamento do campo. Dormiam em barracas. Os seus colegas de escola não tinham sido levados a esse campo. Não conhecia ninguém. Havia meninos até mais jovens do que ele, a partir de nove anos, até homens de mais de trinta. Ao todo, eram quase sessenta homens e meninos. Ganhara um novo nome. Seu verdadeiro nome tinha sido apagado. Era uma nova vida.

Nas primeiras semanas, tudo era novidade e excitação. Passou a receber 2 mil rupias, uma fortuna perto das duas rupias que recebia por mês dos pais. Nem sabia o que fazer com tanto dinheiro. A única coisa que acabava comprando era algo para comer. De roupa não precisava, já que era obrigado a usar a que o Talibã dava.

Quem expressasse qualquer emoção ou vontade de deixar o campo decretava sua sentença de morte.

EHSAN UL-HAQ

Washington, DC, novembro de 2001

Ele bem que tentara. Em novembro de 2001, um mês depois de assumir a direção do Serviço de Inteligência (ISI), o general Ehsan Ul-Haq viajou em missão secreta para Washington num último esforço diplomático para interromper a guerra. Tinha na mala uma carta de quatro páginas do presidente Musharraf destinada ao presidente Bush para tentar convencer os americanos a negociarem com os líderes do Talibã que estariam dispostos a cooperar contra a Al-Qaeda.

A opinião do general Ehsan sempre fora a de que os americanos deviam envolver o Talibã. Se os envolvessem, eles teriam moderado, abrandado. Queriam tentar um acordo antes que a Aliança do Norte, com a ajuda dos americanos e dos britânicos, tomasse a capital Cabul.

A iniciativa conjunta com a Arábia Saudita foi encorajada pelo primeiro-ministro britânico Tony Blair, que já estava em Washington para conversar com seu parceiro americano.

Mas quando chegou à capital americana com o príncipe saudita Faisal bin Abdulaziz al Saud, o general Ehsan levou um não na cara. Os americanos não queriam nem pensar no assunto. A guerra teria que continuar até que o Talibã se rendesse incondicionalmente.

AHMER

Território Federal das Áreas Tribais, Paquistão, 2008

Primeiro Ahmer passou a participar dos ataques contra caminhões militares que transportavam armas e alimentos para as tropas paquistanesas. Cada vez que interceptavam um caminhão, matavam três soldados.

Depois começou a realizar operações maiores. Uma noite, atacaram um forte que servia de dormitório para trezentos homens do Frontier Corps, a força paramilitar que era a primeira linha de defesa na fronteira. Os membros do Frontier Corps usavam armas mais leves e sandálias típicas da região. Os vinte e dois talibãs conseguiram tomar a fortaleza de assalto e capturar onze homens, que foram levados para o campo em Orakzai, um dos principais redutos do Talibã paquistanês de onde partiam os homens e os meninos-bomba para os atentados suicidas em todo o país.

A essa altura, Ahmer já tinha passado da fase de encantamento. Começou a duvidar das reais intenções dos seus comandantes, da integridade do grupo e da própria religiosidade de seus membros. Eram uns hipócritas. Lutava internamente contra seus pensamentos. Não podia desabafar com ninguém.

Sabia o destino de quem demonstrasse qualquer dúvida ou descontentamento. Toda vez que alguém queria abandonar o grupo era assassinado cruelmente e o corpo era exibido no meio do campo para todos verem o que podia lhes acontecer.

Apesar do medo que sentia, perguntou a um dos comandantes se poderia voltar para a sua família. A resposta foi a esperada. A partir deste dia começou a ser treinado para a missão suicida.

EHSAN UL-HAQ

Islamabad, Paquistão, dezembro de 2001

A relação com os Estados Unidos parecia uma gangorra oscilando entre a colaboração e a suspeição, na maior parte do tempo.

Ehsan considerava injusta a desconfiança constante dos americanos, afinal o Paquistão tinha sido um dos primeiros a abraçar a coalizão de quarenta países liderados pelos Estados Unidos na Guerra ao Terror. Como foi mesmo que George W. Bush dissera no melhor estilo do Velho Oeste? "Ou você está conosco ou está contra nós." E, agora, os americanos sonegavam informações de inteligência, não avisavam quando e onde iam atacar no Afeganistão. Começaram a bombardear as cavernas de Tora Bora atrás de Osama bin Laden sem dizer nada aos paquistaneses. Os terroristas da Al-Qaeda fugiam correndo de Tora Bora para atravessar a fronteira com o Paquistão, e o general Ehsan não sabia de onde vinham nem quem eram. Custava terem avisado? Deveriam. Teria sido mais fácil. Mas os Estados Unidos suspeitavam deles o tempo todo.

Nos primeiros tempos, o serviço de inteligência paquistanês liderado por ele também enfrentou dificuldades para identificar os membros da Al-Qaeda. Mal os conheciam. A sua capacidade de espionagem nas áreas tribais e na fronteira com o Afeganistão era limitada. Sempre apostaram todas as fichas e os recursos na coleta de informações sobre a Índia, considerada a ameaça existencial desde que o Paquistão se tornara independente em 1947 num dos mais sangrentos êxodos populacionais da história.

Movimentar as tropas para a fronteira com o Afeganistão era outro desafio. As tropas paquistanesas estavam quase todas na fronteira do lado oriental, com a Índia com uma capacidade militar muito superior.

E havia a opinião pública paquistanesa, que reagiria mal a uma nova aliança com os americanos. Ainda digeria o fato de os americanos os terem abandonado depois da guerra contra os soviéticos no Afeganistão entre 1979 e 1989. Convencer a opinião pública de uma nova aliança com os Estados Unidos contra um país muçulmano era uma missão delicada. Os americanos deveriam ser mais sensíveis às dificuldades que um Estado muçulmano como o Paquistão tinha em explicar por que estava combatendo um grupo que dizia lutar pela ideologia islâmica, ainda que com um conceito distorcido do que é a Jihad. Levaria tempo. Mas os americanos não entendiam.

A única coisa que desejavam era capturar Osama bin Laden.

AHMER

Território Federal das Áreas Tribais, Paquistão, 2008

O som das preces envolvia toda a mesquita. Ahmer estava decidido. Foi se aproximando de um dos militares que faziam a segurança do local sagrado. Disse que tinha um cinto cheio de explosivos debaixo do colete e queria se entregar. Assim pôs fim aos seus quase três meses com o Talibã que mudariam sua vida para sempre.

Quando apareceu a notícia da sua prisão e publicaram sua foto no jornal, apareceu sorrindo. Estava feliz por não ter matado todas aquelas pessoas.

Parte 2

O jornalista

Islamabad, Paquistão, novembro de 2001

Quando atendeu o telefone, Baker Atyani reconheceu a voz imediatamente. Ele lembrava da promessa do líder da Al-Qaeda quando se despediram em Kandahar, cinco meses antes.

Othman passou o recado e o convite do chefe. Osama bin Laden queria ser entrevistado de novo pelo jornalista jordaniano, dessa vez, nos arredores de Cabul. Ele iria?

Desde 7 de outubro, Cabul e outras cidades afegãs estavam sob intenso bombardeio americano e britânico. A ofensiva por terra era comandada pela Aliança do Norte, a coligação de forças da oposição afegã contra o Talibã reunia as etnias tadjique e uzbeque e era apoiada pelos Estados Unidos. O seu líder Ahmad Saad Massoud havia sido assassinado por dois homens-bomba da Al-Qaeda, que fingiram ser jornalistas, dois dias antes do Onze de Setembro.

Baker nunca retornou o telefonema. A situação era muito diferente de quando entrevistara Osama bin Laden em junho de 2001. Na época, o jornalista conseguia passar despercebido pela espionagem paquistanesa e internacional. Mas desde a entrevista, a pressão dos serviços de inteligência sobre ele era grande. Recebera telefonemas de serviços secretos de vários países nos dias e semanas que se seguiram ao encontro com os líderes da Al-Qaeda em Kandahar. Sabia que devia estar sendo vigiado e sua vida estaria em risco se fosse ao encontro de Osama bin Laden no Afeganistão. Decidiu não ir.

O jornalista paquistanês Hamid Mir entrevistaria Osama bin Laden nos arredores de Cabul, no dia 8 de novembro de 2001. A entrevista, segundo Mir, acabou de repente quando suspeitaram de que a casa onde estavam seria bombardeada, o que teria acontecido minutos depois de escaparem, cada um para um lado. Cinco dias depois, Cabul foi tomada pela Aliança do Norte e pela coalizão internacional comandada pelos Estados Unidos. O Talibã perderia também nas cidades de Mazar-i Sharif, Taloqan, Bamiyan, Herat e Jalalabad e se refugiaria no seu último reduto: em Kandahar, onde Baker Atyani entrevistara Osama bin Laden.

Baker decidiu viajar por algumas semanas para a sede da rede de televisão para a qual trabalhava em Londres. A situação tanto no Paquistão quanto em outros países da região era tensa. Uma parte considerável da população não acreditava que Osama bin Laden tivesse sido o responsável pelos atentados de Onze de Setembro. Como alguém que morava em cavernas num dos países mais pobres do mundo conseguiria atacar a maior potência do planeta? Baker não sabia o que podia acontecer se fosse considerado não muçulmano e infiel.

Não ficou muito tempo em Londres. Seu instinto de jornalista não deixou. Logo retornou a Islamabad, onde viveu e fez a cobertura jornalística in loco durante os anos em que o Paquistão foi engolido pela espiral de terror que havia sido intimado a derrotar. Até o momento em que o próprio Baker foi vítima do extremismo.

Círculo do inferno

RAFI

Viena, Áustria, novembro de 2019

Hauptallee, a antiga área de caça da realeza durante o Império Austro-Húngaro, é o refúgio de Rafi. É no paraíso dos praticantes de corrida de Viena que ele corre meia maratona toda semana. A única atividade que o faz esquecer.

Pelo resto do tempo, sente-se numa espécie de círculo do inferno.

Não deixa de ser ridículo que, depois de dez anos trabalhando para o governo ajudando imigrantes e refugiados a se adaptarem ao modo de vida europeu — o qual ele aprendeu à força —, Rafi ainda seja um imigrante. A lei austríaca dá o prazo de seis meses para a obtenção da cidadania, mas ele, a mulher e o filho esperam há três anos e oito meses. Estão presos no emaranhado da burocracia estatal: a cada seis meses precisam correr para atender a um pedido de uma nova declaração ou um novo documento para provar que a mulher não tem antecedentes criminais ou que ele não tem infrações pendentes de trânsito. Quando entrega uma pendência, a declaração anterior, que só vale por seis meses, caduca e voltam à estaca zero com novo pedido de mais papelada para um dos dois. Ele quer desesperadamente sair desse círculo.

Na última vez em que foi à repartição pública saber do status do processo, irritou-se e pediu para falar com a chefe do departamento. "Eu moro na Áustria há dezoito anos, conheço meus direitos, trabalho numa repartição do governo há dez anos, sou responsável pela integração de estrangeiros no país, estou esperando há quase quatro anos, pode me explicar o que está acontecendo?"

"Estamos checando com as autoridades se vocês não têm nenhum antecedente criminal." A explicação o enfurece. "Estão há dois anos checando?"

"Talvez até dezembro consigamos resolver", responde a funcionária. Rafi chegou no seu limite. "Minha mulher faz aniversário no dia 24 de dezembro. Pode ser o presente de Natal dela, não? Se até dezembro a minha família não tiver obtido a cidadania austríaca, vou falar com o seu chefe, com o presidente do país, com quem for preciso, porque vocês nunca vão conseguir encontrar nada contra mim. Vocês perderam." Falou com a confiança de quem conhece seus direitos. Domina a lei. Basta, já não é o jovem inseguro de dezoito anos antes paralisado pelo medo de ser mandado de volta para Cabul.

Em suspenso

GAWHAR

Viena, Áustria, maio de 2016

Quando o policial apareceu perguntando se ela queria comer, Gawhar olhou para o sanduíche sem saber o que dizer. Desmaiara de sono de tanto chorar na noite anterior. Decidiu não comer nada.

Por volta das oito horas, a tradutora chegou. Era uma afegã que trabalhava para a polícia de Viena. "Quando você veio? Como? Entrou legalmente? Ilegalmente? Alguém ajudou?" As perguntas a faziam se sentir no centro de um redemoinho. Pareciam todas iguais. Quando acabou, devolveram-lhe os cadarços do sapato, o colar e o dinheiro. Deram-lhe uma passagem de transporte público, um papel com o endereço do centro para refugiados e aspirantes de asilo. Se tivesse alguma dúvida, era só perguntar em inglês para alguém na rua como chegar ao destino. Parecia tudo simples. Será que eles não percebiam que tudo era difícil para ela?

Sozinha, aos 25 anos, com um papel na mão, sem saber para que direção seguir, Gawhar saiu da delegacia de polícia em Viena para tentar começar uma nova vida na Áustria. Não era isso o que ela sempre quis?

RAFI

Salzburgo, Áustria, outubro de 2001

Devido à localização geográfica no centro da Europa, a Áustria sempre fez parte da rota de chegada ou passagem de imigrantes pela região. Durante a Guerra Fria, recebia quem fugia dos países do bloco comunista. Com a desintegração da Iugoslávia, na década de 1990, foi a vez dos sérvios, croatas, bósnios. Junto com os turcos, faziam parte da força de trabalho em indústrias que não exigiam grandes qualificações. A partir de 2001, afegãos e iraquianos começaram a chegar, mas foi em 2015, com a crise de refugiados que assolou a Europa, que os austríacos perceberam a entrada em massa de afegãos, sírios e iraquianos que tentavam escapar das guerras em seus países.

O início da vida de Rafi na Áustria coincidiu com a ocupação militar no Afeganistão. Os americanos e britânicos bombardeavam o seu país e, com a ajuda dos combatentes da Aliança do Norte, expulsavam os talibãs das principais cidades afegãs, enquanto Rafi começava a luta burocrática para não ser mandado de volta para Cabul. O jovem só não podia prever que, vinte anos depois, ainda estaria travando guerras na burocracia austríaca e os militares americanos ainda estariam no seu país natal.

Naquelas duas semanas em que ficou preso na Alemanha, depois de ter sido flagrado no vagão de trem tentando entrar ilegalmente no país, a família de Rafi vivera um hiato, sem notícias do seu paradeiro.

Quando foi levado pelos policiais alemães e entregue aos policiais na Áustria, ligou para a irmã mais velha, que o considerava "o seu menino" e morava em Salzburgo. Foi viver com ela. Apesar de todas as incertezas, só passara dois ou três dias num campo de refugiados austríaco.

A angústia das noites nas mãos dos traficantes de pessoas foi substituída pela dos escritórios de advocacia e pelo medo de ser deportado a qualquer momento. Depois de ter o seu estatuto como refugiado negado, só restara a Rafi duas opções: apelar na justiça ou aceitar a proteção subsidiária — prevista na lei internacional para qualquer um que não se qualifique como refugiado, mas que possa correr algum risco se voltar ao seu país de origem.

Confiou no advogado da irmã, que tinha muita experiência. Aceitou a proteção subsidiária por seis meses e o conselho do advogado de procurar trabalho para renovar a permissão. "A Áustria precisa de estrangeiros para trabalhar aqui." Rafi, mais uma vez, estava na direção contrária.

GAWHAR

Cabul, Afeganistão, 2002

O tapete atrapalhava um pouco a concentração, mas mesmo assim Gawhar era a melhor aluna da turma. Uma semana depois de voltar ao Afeganistão, o avô a matriculara na escola. Estava cinco anos à frente das colegas, que durante o regime do Talibã haviam sido proibidas de estudar. Era a única que sabia falar um pouco de inglês.

As aulas aconteciam no chão, em cima de um tapete. Não havia mesas nem cadeiras. A avó costurara uma almofada para que a neta se sentisse mais confortável. Desde a chegada ao país, concentrava-se nos estudos. Quando a professora não estava na sala de aula, ela naturalmente liderava o grupo. As colegas a olhavam com admiração. Ela adorava ter o controle da situação, apesar da tristeza de ver as outras meninas tão atrasadas nos estudos. Era como se tivessem ficado congeladas por cinco anos.

Demorou três meses para que toda a família regressasse ao Afeganistão. Gawhar se ressentia de ter que morar com os avós, a meia hora da casa dos pais. Não entendia a decisão deles. Todos os fins de semana ela pedia que o tio a levasse para visitá-los e voltava sempre chorando. A avó ficava triste, mas Gawhar não entendia por que tinha que viver longe do resto da família. A mãe e o pai voltaram a trabalhar, os irmãos e as irmãs, a estudar. No país, todos estavam preocupados em arranjar um emprego. A mãe conseguiu um nas Nações Unidas.

Os americanos injetavam no Afeganistão milhões de dólares que iam parar nas mãos de líderes tribais, senhores da guerra, os corruptos de outros tempos, valia qualquer um desde que fosse inimigo dos talibãs. Passou a ser comum ver gente que não tinha nada durante o antigo regime construir mansões milionárias. Era só criar uma organização não governamental que o dinheiro começava a jorrar. As pessoas ficavam ricas da noite para o dia, as famílias mudavam. Começaram a aparecer roupas importadas da China, da Turquia e de outros países nos mercados de Cabul.

Os primeiros anos da ocupação militar estrangeira passaram depressa entre a escola e os fins de semana com os pais e irmãos. Enfim, aos dezesseis anos, voltou a morar com toda a família. O curso de preparação para a universidade ficava perto de casa. O concurso para medicina era um dos mais concorridos. Não existiam universidades particulares, e milhares de jovens disputavam as poucas vagas que havia.

Em 2006, o Talibã reiniciava a sua insurreição. Passara os últimos anos se reagrupando para a guerra contra as tropas estrangeiras, a "América e suas marionetes", como proclamara seu líder mulá Omar.

Enquanto o objetivo de mulá Omar era acabar com a ocupação no Afeganistão e recuperar a soberania do país, o de Gawhar era ingressar numa universidade.

RAFI

Salzburgo, Viena, Áustria, 2001-09

O que Rafi mais queria, aos vinte anos, era aprender logo o alemão, estudar, se formar na universidade. Mas logo percebeu que não podia estudar alemão de graça. Se tivesse sido considerado refugiado, teria conseguido. Com o estatuto de proteção subsidiária, seus direitos eram limitados. A proteção subsidiária exigia renovações periódicas, e o fantasma da deportação sempre rondava. Teve que passar os primeiros oito anos na Áustria aceitando qualquer tipo de trabalho. Fazia faxina, tirava neve das ruas, foi empacotador e trabalhou em restaurantes. Com o dinheiro, conseguiu pagar os cursos de alemão dos quais precisava e passou a falar fluentemente.

Acabou se mudando para Viena e conseguiu se formar num curso profissionalizante de administração e tecnologia da informação. Mas a universidade seguiu sendo apenas um sonho.

GAWHAR

Cabul, Afeganistão, 2007-11

A universidade abriu as portas para experiências diferentes de tudo o que Gawhar tinha vivido.

Primeiro foi o choque de estudar com rapazes na mesma sala de aula. As mulheres eram minoria: quarenta versus oitenta homens do curso de medicina. Gawhar levou um ano para se habituar com a presença masculina. Ficava constrangida. Não tinha coragem de levantar o braço nem quando sabia as respostas para as perguntas dos professores. Pela primeira vez não era a melhor aluna da turma.

Por outro lado, nunca vira professores de mente tão aberta. Eram todos afegãos, mas muitos tinham estudado fora. Foi na sala de aula que ela viu um professor mostrar o dedo do meio quando um estudante errou uma resposta. Foi na faculdade que aprendeu o significado desse gesto e soube o que era um palavrão.

Fez novas amigas, começou a escolher o que comprar com as colegas. Até os vinte anos, era a mãe quem sempre escolhera as suas roupas. Parecia incrível pensar que ela, filha de dois profissionais liberais, até o terceiro ano da faculdade não decidia o que vestir.

No campus também se apaixonou, não um amor qualquer, o primeiro e grande amor. Um namoro que contrariava a vontade da família, que preferia vê-la casada com um rapaz de uma classe social mais alta e da mesma tribo. Os dois se encontravam às escondidas.

Desde os primeiros dias na universidade, surgira a ideia de estudar fora. O pai também era contra. O que os vizinhos diriam de uma mulher sozinha no exterior?

A vida universitária também coincidiu com o período em que os atentados suicidas se tornaram parte da realidade no país.

A ofensiva talibã começara pelo sul, perto de Kandahar. As notícias relatavam os confrontos aqui e ali, explosões em Cabul. No início, os alvos eram as forças de ocupação, as tropas estrangeiras — os talibãs atacavam caminhões ou tanques militares. Mas, com o tempo, os atentados ocorriam em pontos de ônibus, praças, hotéis, universidades, escolas. As vítimas passaram a ser civis, ninguém estava a salvo. Para os talibãs, os muçulmanos que aceitavam ser controlados por não muçulmanos deixavam de ser muçulmanos. Gawhar sentia medo.

Entre 2001 e 2006, só houve o registro de um ataque suicida no país, justamente o que matara Ahmad Shah Massoud, o senhor da guerra inimigo do Talibã, por dois terroristas da Al-Qaeda, dois dias antes do Onze de Setembro. Mas de 2006 a 2007 os atentados suicidas duplicaram. De 2007 a 2008, triplicaram e acabaram fazendo parte da rotina de Cabul e de outras cidades pelo país. Oitenta por cento das vítimas eram civis.

O desejo de estudar no exterior passou a ser quase uma obsessão. Concorria a bolsas de intercâmbio de curta e de longa duração. Mesmo quando conseguia ser selecionada, mesmo com todas as despesas pagas, os pais não deixavam, achavam inconcebível uma jovem viajar sozinha. Foi depois de uma dessas brigas constantes com o pai que Gawhar começou a sentir a violência que assolava o país se aproximando.

RAFI

Viena, Áustria, 2009

Rafi sempre desligava o celular durante as orações de sexta-feira, dia sagrado para os muçulmanos. Só percebeu que havia uma chamada perdida quando terminou a reza. Ao ouvir a voz do outro lado da linha, quase não acreditou: "Queremos que você comece a trabalhar na próxima segunda-feira".

Desde que se registrara no centro de emprego, Rafi era obrigado a enviar, todas as semanas, dez currículos em busca de trabalho. Não tinha qualquer esperança quando se inscrevera para uma vaga no órgão do governo austríaco responsável pela assistência a refugiados e imigrantes. Fora chamado para três entrevistas, mas quando ouviu a secretária lhe dizendo que ia começar a trabalhar foi difícil não conter a surpresa, a felicidade e o nervosismo: "Como assim eu tenho que estar aí na segunda? Vocês vão me contratar? Eu fui aceito?".

Rafi estava inseguro. Era provavelmente um engano. Não tinha nenhuma experiência. Nunca trabalhara num escritório. O que teriam enxergado nele?

Em fevereiro de 2009, passou a integrar a equipe que aconselhava imigrantes e refugiados, compartilhando todo tipo de informação necessária para sua integração, dando cursos e administrando o processo de distribuição de apartamentos para imigrantes. Ele, que não conseguira o estatuto de refugiado, passaria a ajudar pessoas cujas histórias eram tão ou mais dramáticas que a sua.

Rafi já não aguentava mais viver na incerteza sem saber se seria deportado para o Afeganistão ou não a qualquer momento. Além disso, a pressão da família para se casar com uma afegã era grande. Estava chegando a hora de buscar a noiva escolhida pelos pais em Cabul. Naquele ano, uma mudança na lei passou a permitir que um estrangeiro com cinco anos de proteção subsidiária mudasse seu estatuto para imigrante. Era o que precisava para viajar para fora do país.

GAWHAR

Cabul, Afeganistão, 2012

As amigas se preparavam para deixar o pátio da universidade quando os guardas trancaram os portões. Mandaram que Gawhar voltasse para dentro do prédio — a faculdade de medicina estaria na mira de militantes radicais.

Os estudantes vieram correndo de todas as direções para o grande salão das aulas práticas que ficava no porão. As portas foram fechadas. Foram instruídos a apagarem as luzes e a ficarem em silêncio caso ouvissem algum barulho de tiro. Os telefones não funcionavam, estavam sem rede, não havia como se comunicar com a família.

Um cheiro de suor impregnava a sala, o calor era intenso. Os colegas estavam nervosos; alguns, em pânico. As três horas que ficaram ali pareciam intermináveis. Quando as portas se abriram, os funcionários pediram que fugissem correndo, as aulas estavam suspensas.

Gawhar e as quatro amigas, que moravam no mesmo bairro, procuraram um táxi em vão. A grande avenida estava deserta. Os carros haviam desaparecido. Ouviam-se os gritos e os tiros. As poucas pessoas que passavam corriam em desespero.

As cinco estudantes olhavam para todas as direções, calcularam que deveriam caminhar duas ou três horas até chegar à casa de uma delas. Acabaram por se refugiar no hospital próximo à faculdade onde o pai de uma das jovens trabalhava. Gawhar começou a chorar. O pai da amiga, que era médico, chamou o motorista de uma ambulância e mandou que as levasse à casa dele.

O barulho dos tiros parecia cada vez mais próximo. O motorista se desviava como podia, o confronto estava acontecendo perto da universidade, os talibãs haviam tomado um prédio vizinho à embaixada dos Estados Unidos e combatiam as forças de segurança do governo afegão.

Já era noite quando o pai de Gawhar conseguiu buscá-la na casa da amiga. A faculdade ficou fechada durante uma semana. Foi a primeira vez que Gawhar teve a certeza de que esta seria a sua realidade. Ninguém em Cabul sabia se voltaria vivo para casa. Estava mais decidida do que nunca: ia estudar no exterior. Era uma questão de sobrevivência.

RAFI

Cabul, Afeganistão, junho de 2010

A primeira imagem que o surpreendeu foi a da cidade iluminada à noite. O primeiro som que estranhou foi o da música. Quando fugira de Cabul oito anos antes, não havia luz, e o Talibã proibia a música que agora Rafi ouvia nas ruas do centro da capital afegã. Via mulheres sem burca e homens sem barba, o que era impensável durante o regime. Muitos homens já usavam calças compridas, proibidas também pelo governo dos talibãs. Como era bom poder ir ao centro à noite tomar sorvete!

Os pais de Rafi estavam morando na Alemanha. Haviam sido os últimos da família a deixar a casa na capital afegã. Todos os irmãos e irmãs viviam agora na Alemanha e na Áustria. Os pais e alguns irmãos não puderam voltar para festejar o casamento do filho e do irmão mais novo naquele mês de junho de 2010.

Mas as luzes e a música em Cabul refletiam apenas uma aparência de normalidade.

Em agosto, o número de soldados americanos chegaria a cem mil, o maior contingente desde o início da ocupação. O presidente Barack Obama assumiria que a situação havia regredido com o ressurgimento do Talibã, mas afirmaria que o Afeganistão não estava perdido. Em 2010, com 3 346 atentados, o país bateria o recorde de ataques terroristas.

GAWHAR

Cabul, Afeganistão, 2015

A explosão aconteceu por volta das seis da tarde. Por alguns instantes, Gawhar achou que havia ficado surda. Não tinha ideia do que estava acontecendo. Nem de que se tratava de um atentado.

Todas as vidraças das janelas do hospital partiram ao mesmo tempo. As outras funcionárias e as cinco pacientes às quais atendia no balcão da triagem da maternidade se esconderam debaixo das mesas. Quinze minutos se passaram até a jovem médica conseguir sair do esconderijo e entender que era um ataque.

Era hora de grande movimento nas ruas de Cabul quando os homens saíam do trabalho e ficavam à espera do transporte para retornar às suas casas. O hospital ficava em frente a um terminal de ônibus.

Os pais, maridos e irmãos que estavam do lado de fora à espera das mulheres grávidas começaram a trazer os feridos cobertos de sangue. Os gemidos e os gritos formavam uma espécie de coro dentro e fora da maternidade, a cacofonia do terror.

Gawhar se formara em medicina naquele ano e tinha começado a trabalhar na maternidade havia apenas alguns meses. O hospital só tinha funcionárias mulheres e só atendia mulheres. Os pais de Gawhar sempre sonharam que ela fosse médica, uma profissão de prestígio, a mesma da sua mãe. Nos turnos mais puxados, chegavam a fazer cem partos por dia. Gawhar já tivera uma queda de pressão e desmaiara numa vez em que fizera dezessete partos. Mas nada a preparara para aquela noite em 2015.

Quando as vítimas começaram a chegar eram todos homens com ferimentos que ela não tinha qualquer experiência em tratar, só fazia partos. Nunca havia atendido um homem na vida. Não havia nem medicamentos nem equipamentos apropriados para lidar com tantos feridos. Eram só ela, mais uma médica, a parteira e as enfermeiras. Naquela noite, a faxineira teria que largar a vassoura para ajudar a prestar os primeiros socorros.

Além de cuidar dos feridos que chegavam, ainda tinha que acalmar as grávidas que entraram em choque e estavam prestes a dar à luz. Gawhar e as colegas transferiam as mulheres para as salas de parto enquanto tentavam atender os feridos. Aos 22 anos, era a primeira vez em que vítimas de tamanha violência morreriam em seus braços.

Trabalhou sem parar até as oito da manhã. Não ouviu as dezenas de vezes que o telefone tocou. Toda a área havia sido cercada, e o pai e o irmão não conseguiam ter notícias da jovem. Gawhar nem reparou o sangue escorrendo na cabeça. Tinha sido atingida por estilhaços quando as janelas quebraram com a força da explosão. Não tinha tempo de sentir nada. Não sabia de onde vinha a energia para continuar socorrendo os feridos, fazendo suturas pela primeira vez.

Desde o início da ocupação do Afeganistão, 2015 foi o ano em que civis mais morreram pelos atentados suicidas. Foi também o ano em que o serviço de inteligência afegão revelou que mulá Omar, líder do Talibã, morrera dois anos antes de causas naturais. Também foi o ano em que Gawhar foi diagnosticada com depressão.

Quando chegou em casa depois do atentado, olhou atônita para as roupas e as mãos cobertas pelo sangue dos feridos. Não conseguia exibir qualquer reação. A mãe lhe deu banho e comida. Não dormiu naquela noite nem nas seguintes. Não saía de casa. Ficava sentada o tempo todo. Não tinha forças para ir trabalhar. Cogitou abandonar o emprego. Só pensava no atentado, no sangue. Entrou em choque.

Um mês depois do atentado, a mãe resolveu levá-la ao consultório de uma amiga psiquiatra. Ir ao psiquiatra numa sociedade tão conservadora como a afegã é um tabu. Gawhar tomou antidepressivos durante um mês.

A noite do ataque havia sido o estopim. Gawhar vivia o trauma da violência do país mergulhado em atentados suicidas sob uma ocupação que não trouxera paz e a revolta com uma sociedade conservadora em que uma mulher não tinha direito de escolher quem namorar ou com quem se casar. Ainda apaixonada pelo jovem colega dos tempos de universidade, Gawhar se revoltara com a recusa dos pais em aceitar o pedido de casamento do rapaz. O namorado a pressionava para que se casassem e fossem viver nos Estados Unidos, onde ele havia recebido uma proposta de trabalho. Ela continuava sem coragem de enfrentar a família, tinha medo de viajar sozinha, sentia medo de continuar vivendo num país sitiado pela violência.

A pressão social pesou. Rejeitou a proposta do namorado.

Uma de suas irmãs mais velhas, que vivia na Áustria e acompanhava os dilemas de Gawhar, acabou sugerindo que ela tentasse um visto temporário para um workshop de uma semana numa universidade de Viena. Os pais, que sempre haviam relutado contra os seus planos de estudar fora, concordaram. Gawhar foi aprovada; chegou legalmente à Áustria, depois de uma escala em Istambul em abril de 2016, com um visto de dez dias.

Quando os pais foram ao aeroporto em Cabul à espera do voo de volta da filha, não a encontraram.

RAFI

Viena, Áustria, dezembro de 2019

Rafi tentou escolher um canto menos barulhento do restaurante para ouvir e traduzir à jornalista brasileira o que o Wali Mohammad Yusufzai estava lhe contando. O restaurante italiano fica na estação central de Viena e é muito concorrido. O empresário afegão começou a contar a sua história. Precisou fugir com toda a família depois que o filho de onze anos foi sequestrado. Juntou o dinheiro que tinha, pagou o resgate e fugiu primeiro para a Rússia e depois para a Áustria. Pagou 10 mil dólares por cada parente para que os traficantes trouxessem a sua família. Porque os americanos só deram dinheiro aos chamados "warlords", senhores da guerra, comandantes de combatentes de diversas regiões do país que passaram a acumular mais dinheiro, mais armas, mais poder. Os problemas pioraram com mais corrupção e o envolvimento de políticos que protegiam seu próprio clã. Os criminosos e a máfia floresceram. Quem vai punir o filho de um ministro? Ninguém. O dinheiro não foi para o povo afegão. Estes permanecem sofrendo. É um jogo, onde cada jogador ganha para o seu próprio benefício e seus próprios interesses.

Rafi concordou com a cabeça. Sabe que o dinheiro fácil dos americanos em mãos erradas foi um desastre para o seu país. Até ele já ouviu piadas de gente que conhece perguntando por que continuava na Áustria ganhando um salário de 1 050 euros, se podia se tornar milionário caso voltasse para o Afeganistão.

Na Áustria há dez anos, Wali Mohammad Yusufzai trabalha como faxineiro em uma empresa de limpeza. A mulher sofre de problemas psiquiátricos desde que saiu de Cabul e ele se divide entre as faxinas, o tratamento da esposa e as atividades na associação cultural afegã em Viena, onde é vice-presidente. Apesar da altura — quase dois metros — e da postura imponente, o olhar do senhor Yusufzai vagueia perdido. Ele e sua família têm a proteção subsidiária e nenhuma garantia de que não serão mandados de volta ao Afeganistão. Os afegãos são os estrangeiros que mais entram com pedidos de asilo na Áustria, que têm mais pedidos pendentes e mais rejeitados.

Um dia em 2015 ele e os colegas foram chamados para limpar um desses grandes halls de concertos. Arrastaram todas as cadeiras para os lados e Yusufzai agarrou a vassoura com tanta força e varria com tanta violência que rodopiava dançando no meio do salão como um doido. Perdera o controle.

É difícil para muitos europeus se colocarem no seu lugar. Tem 57 anos e a última vez que se sentiu em paz foi quando tinha 27. É impossível esquecer trinta anos de guerras, bombas, atentados, violência, parentes e amigos mortos. E agora o medo da deportação que enlouquecia a própria mulher.

Rafi ouvia atento ao relato antes de traduzir. São histórias como esta que o emocionam, o entristecem e o enfurecem diariamente há mais de dez anos.

Estariam todos eles agarrados a uma vassoura num grande salão vienense perdidos numa dança sem fim?

GAWHAR

Viena, Áustria, dezembro de 2019

Neubau é um dos bairros mais vibrantes de Viena. Perto do centro histórico, com galerias de arte descoladas, lojas vintage, restaurantes de cozinhas diversas, cafés abarrotados de gente jovem, bares e boates cheios, uma espécie de Soho vienense.

Não é um bairro em que se espera que uma refugiada afegã ou um refugiado afegão more. A maioria dos imigrantes de países muçulmanos ou do Oriente Médio se concentra em distritos mais afastados da capital em prédios onde quase não convivem com austríacos.

Gawhar circula pelas ruas de Spittelberg, na badalada Neubau, com naturalidade. Não usa véu. Fala alemão fluentemente. Divide um apartamento com três estrangeiros, estudantes de outros países europeus. Cada um tem seu quarto. A irmã lhe emprestou o dinheiro para o depósito do aluguel, é puxado, mas com o que ganha de subsídio do governo e com o ocasional trabalho de babá consegue pagar todas as contas.

Na época do Natal, gosta de abrir a janela da cozinha que dá para a rua do mercado de Spittelberg e ouvir o burburinho das vozes animadas dos austríacos e estrangeiros bebendo vinho quente para aquecer as mãos e esquecer o inverno.

Fez tudo certo para se integrar: os cursos obrigatórios para estrangeiros que estão à espera de asilo no país, aprendeu alemão, anexou no processo dezenas de documentos da universidade em Cabul e entrou com pedido de equivalência para que seu curso de medicina fosse reconhecido. Também trabalhou como voluntária em diversas associações e colaborou com uma das mais conceituadas organizações de política internacional da Áustria. Ninguém pode acusá-la de não tentar se adaptar, de não cumprir as regras, de não ser uma aspirante ao asilo exemplar.

Chegou uma carta na qual ela nem tinha reparado. Demorou uma semana para abrir o envelope. Esperou um ano e meio por uma entrevista e o governo austríaco negou o seu primeiro pedido de asilo apenas cinco dias depois da entrevista. Não conseguia entender. Era difícil de acreditar. Falou a verdade. Contou a sua história. Nem olharam para toda a documentação que reunira para a entrevista. Disseram que analisariam depois. Conhecia tanta gente que mentia e conseguia o asilo. Não era justo. Tinha um mês para entrar com um recurso ou seria deportada. Recomeçou com os antidepressivos. Sabia que não adiantaria recorrer à ajuda de um dos advogados oferecidos pelo governo que faziam uma espécie de "copia e cola" em todos os processos. Recorreu a outros afegãos que tinham passado pela mesma situação. A única saída seria tentar entrar com um novo pedido com um bom advogado.

Há um ano e meio, está à espera de uma resposta do governo. O medo de ser deportada quase chegou a paralisá-la. Passou a tomar remédios para ansiedade e depressão. Não quer mais chorar. Aprendeu que não pode esperar nada de ninguém. Quem vê a jovem andando pelas ruas ou frequentando os cafés modernos de Neubau nem desconfia de que a sua vida está em suspenso e que Gawhar só quer ser dona do próprio destino.

Chá em Nova Jersey

FALEEHA

Filadélfia, Estados Unidos, 6 de novembro de 2019

Faleeha entrou quase sem fôlego numa das livrarias independentes mais antigas da Filadélfia. Estava quinze minutos atrasada para a sua própria apresentação de poesia na Penn Book Center. Foi de carona com sua melhor e única amiga americana, que mora a duas horas de sua casa. No fim de tarde é quase impossível encontrar um lugar para estacionar no campus da Universidade da Pensilvânia. Faleeha não lida bem com a pressa. Nem a dela nem a dos outros. Os americanos estão sempre acelerados.

Sorriu em direção às cerca de vinte pessoas que a aguardavam e entregou exemplares do último livro para serem postos à venda antes de avançar para a frente das cadeiras onde o moderador e o diretor do Centro de Estudos do Oriente Médio estavam à espera. Na plateia, jovens universitários, estudantes de literatura, americanos de origem árabe, alguns aposentados. Todos foram ouvir pela primeira vez a poeta iraquiana de rosto arredondado e impecavelmente maquiado. O sorriso de Faleeha não vinha dos lábios grossos pintados com um batom de tons de bege claro, mas do brilho dos olhos negros sob as sobrancelhas delicadamente delineadas. O hijab cor-de-rosa, combinando com a blusa e com o blazer, cobria os cabelos.

"Nós crescemos à velocidade da guerra", o moderador começou a ler um poema de Faleeha traduzido para o inglês. Mas foi quando ela mesma declamou os versos em árabe, a sua língua de origem e original do poema, que a força da poesia ocupou todos os cantos da livraria. Ninguém ficou indiferente à intensidade de sua voz, mesmo sem entender o significado das suas palavras. Era como se todos estivessem ouvindo uma canção. Às vezes, Faleeha fazia uma pausa, às vezes, parecia sussurrar. A língua árabe tem um ritmo musical que a inglesa não tem. Em árabe, Faleeha pensa rápido, escreve sem pensar. O árabe é a sua casa.

Ao longo da apresentação, os anfitriões resumiram a carreira da poeta iraquiana que publicou várias coleções de poesia e prosa traduzidas em alemão, inglês, francês, italiano e curdo. Enumeraram seus prêmios literários, citaram sua participação na associação de escritoras do Iraque e lembraram que o site da revista da apresentadora e empresária americana Oprah Winfrey a chamou de Maya Angelou do Iraque, uma referência à escritora símbolo da luta dos direitos civis na América.

Ao chegar aos Estados Unidos em 2012, Faleeha Hassan não sabia falar uma palavra em inglês. Resolveu logo aprender para escrever em inglês quando descobriu que teria que pagar um tradutor para ter os seus poemas publicados. No Iraque, os amigos traduziam de graça. Na América, nada é de graça. Quis fazer um curso, mas lhe disseram que custava mais de quinhentos dólares. Ela não tinha como pagar. Quem a ajudou no início foi uma associação de caridade católica pagando os primeiros meses de aluguel. Sabe que seu inglês está longe de ser perfeito. Sente falta de mais vocabulário.

Em vez de ganhar dinheiro com os livros, tem que pagar para tê-los publicados e colocados à venda. Todos os seus livros em inglês são produções independentes. Não compensa. No entanto, recebe convites para publicar artigos em revistas, mas a maioria paga pouco ou não paga.

"É corajosa em escrever numa língua que não é a sua, não é?", perguntou o moderador. Sim, gostava de se desafiar. A vida sempre deu luta. Se a língua está amarrada à memória e ao lugar onde se vive, ela desejava, então, criar suas memórias em inglês. Era difícil, mas ela praticava todos os dias. O título de um de seus livros em inglês, *Café das borboletas*, é uma referência às mulheres que não têm voz durante a guerra. As borboletas não têm voz. Ela não é uma poeta de guerra, mas escreve sobre o que conhece e tem uma intimidade forçada com a guerra. No Iraque, era uma escritora de certa fama, todos a conheciam, recitavam seus poemas, paravam-na na rua em Najaf quando a reconheciam. Nos Estados Unidos, teve que começar do zero. Um dia vai conseguir ter a própria voz em inglês. Um dia sua voz será ouvida na América.

QUANDO BEBO CHÁ EM NOVA JERSEY*

Como uma menina que escreve poesia sobre um menino que nunca
[conheceu
Meu dia repousa
com todo este desapontamento
A contar breves momentos
Lembro-me de minha mãe, usando o cheiro das cebolas
Para derramar lágrimas na cozinha

* Poema original: "When I Drink Tea in New Jersey", in *Art of My Transformation: Poetry by Faleeha Hassan*. Filadélfia: Moonstone Press, 2018 (trad. Mariana Correia Santos).

Pela ausência de meu pai
Que ganhou a vida guerra após guerra
Sempre que usou seu cinto militar
Seu desejo era que a guerra fosse apenas um sapato velho
Que pudesse tirar do pé assim que sentisse vontade
E que não exigisse a preocupação com consertos no sapateiro
Lembro-me de meu irmão
Que costumava perguntar em suas cartas —
Quando a guerra vai entender que não somos bons em lidar com
[*a morte? Lembro-me de nós há quarenta anos*
Éramos crianças, tão crianças
Com roupas e corações coloridos
Bastava que víssemos um balão
Para cairmos na gargalhada
Lembro-me agora de tudo isso
Quando bebo meu chá
E
Pratico a solidão.

Pesadelo em Bagdá

GENA

Bagdá, Iraque, dezembro de 2006

Escapar tem sabor de derrota. Gena, os irmãos e os pais embarcaram de manhã cedo no ônibus que fazia o percurso entre Bagdá e Damasco. Eram quarenta passageiros. Não conheciam ninguém. Gena tinha treze anos.

Dirigir pelas estradas iraquianas em 2006 era uma aventura perigosa. Os ataques, roubos, sequestros e assassinatos faziam parte da rotina naqueles primeiros anos de ocupação militar estrangeira. O caos se instalara depois da queda de Saddam Hussein, o país era um ímã para radicais islâmicos e gangues de todo tipo. Assim que ouviu o som de disparos, o motorista pegou um atalho por estradas secundárias para evitar os grupos armados. Mesmo assim, poucas horas depois de partirem, avistaram um ônibus parado na estrada sendo atacado por homens armados. O motorista não tinha como dar marcha a ré sem despertar a atenção dos criminosos encapuzados. Ocupados em roubar os passageiros do primeiro ônibus, a gangue deixou que o deles passasse. Os minutos de apreensão ficaram como uma cicatriz na memória de Gena.

A viagem de fuga entre as duas capitais durou pouco mais de doze horas. Gena só viu soldados americanos quando chegaram à fronteira entre o Iraque e a Síria. Não foram parados nem revistados. Chegaram enfim à capital do país onde poderiam viver em paz. O pai de Gena ficou o tempo suficiente para acomodar a família antes de voltar para Bagdá. Seis meses depois, uma tragédia atingiria a família. E, cinco anos depois, seria a vez de a Síria mergulhar numa guerra sangrenta. Dessa vez, Gena não conseguiria escapar.

FALEEHA

Afyonkarahisar, Turquia, 2011

Que seria vítima do ódio e do preconceito por ser refugiada, Faleeha sabia desde a Turquia, país onde se abrigou quando fugiu do Iraque com a filha e o filho de dez e doze anos. Em Afyonkarahisar, cidade no oeste da Turquia, a própria senhoria lhe extorquia dinheiro. Aumentava todos os meses o aluguel, pedia dinheiro emprestado que nunca pagava de volta, obrigava que pagasse contas de luz e gás muito acima do consumido. Um dia acordou com o som de picaretas na porta do apartamento que ficava no andar de cima. A senhoria mandara os operários arrancarem os degraus da escada. Faleeha ligou para a polícia, que acreditou na promessa da mulher de que no dia seguinte a obra estaria pronta. Durante três dias, ficaram confinados no apartamento sem ter como sair. No confinamento forçado dependia da caridade da vizinha. Pela manhã, escrevia o que precisava da mercearia, colocava numa cesta amarrada a uma corda e a vizinha trazia os mantimentos no fim do dia para que ela e os filhos tivessem o que comer. O frio congelava até os legumes e verduras, mas era o preconceito que a paralisava. Odiava viver na Turquia.

A proximidade com a fronteira do Iraque — estava a apenas 24 horas de carro da sua cidade Najaf — a deixava ainda mais apreensiva. Tinha uma sentença de morte decretada contra ela por um grupo de militantes radicais em seu próprio país. Precisava fugir de novo. Começou a perguntar aos vizinhos iraquianos como poderia viver num país mais distante. A única solução seria ir às Nações Unidas na capital turca, Ankara, e entrar com um pedido de asilo humanitário. Foram três entrevistas com representantes da ONU e um ano e meio de espera até lhe dizerem que iria para os Estados Unidos como refugiada. Foi quando ouviu falar em Nova Jersey pela primeira vez.

GENA

Damasco, Síria, junho de 2007

Gena gosta dos sírios. Ela acha que são prestativos, agradáveis, animados, amáveis e hospitaleiros. Foi fácil de se adaptar. As crianças logo frequentaram a escola. A vida era simples. Os primeiros meses passaram voando.

Em junho, o pai avisou que também deixaria o Iraque e iria enfim viver com a família em Damasco. Gena nunca soube por que o pai tomou a decisão de abandonar Bagdá. As decisões do pai permaneciam envoltas em mistério.

Sexta-feira, véspera da viagem, Gena telefonou. Fez várias perguntas a que o pai respondeu monossilábico. Estava distante. Parecia preocupado. Ela só queria ter certeza de que ele viajaria mesmo no dia seguinte. Teve a sensação de que alguém poderia estar a seu lado. Desligou.

Foi a última vez que ouviu a voz do pai. Três horas depois, ele seria assassinado na rua onde morava em Bagdá.

Bagdá, Iraque, junho de 2007

O pai de Gena pegou as malas e partiu em direção à casa da irmã, onde passaria a última noite em Bagdá, antes da viagem. Acabara de atravessar a rua quando um carro com quatro homens parou ao seu lado. Um dos ocupantes o mandou entrar. O pai percebeu que era um sequestro e recusou. O homem mostrou a arma e saiu do carro. O pai reagiu, começaram a brigar e ele conseguiu tomar a arma do sequestrador. Ainda tentou disparar, mas ela não funcionou e ele precisou correr para escapar. Levou dois tiros, um atingiu uma das pernas, o outro, a cabeça. Caiu morto no asfalto.

Os vizinhos assistiram ao assassinato pela janela.

Os homens retiraram o dinheiro e as chaves que ele tinha nos bolsos e foram para sua casa à procura do resto da família. Não sabiam que a mãe e os filhos haviam partido. Instalaram-se e ocuparam a propriedade.

O corpo do pai de Gena ficou estendido na rua por 24 horas.

Dois dias depois da morte do pai, um dos tios que morava em Damasco levou a mãe, Gena e os irmãos para Bagdá. O tio conseguiu explicar a situação aos soldados americanos. Nos poucos dias em que ficou no Iraque, Gena não dormiu direito. Tinha sempre o mesmo pesadelo. O pai pedia que ela fosse ao terraço ver se não havia ninguém no jardim para que ele pudesse fugir. Ela abria a porta e surgia um homem com um capuz que lhe cobria o rosto. Acordava sobressaltada.

Depois do funeral e enterro do pai, Gena voltou com a família para a Síria.

A mãe caiu numa depressão profunda. As crianças se adaptaram à rotina diária da escola, que era a única atividade fora de casa. Por cinco anos quase não saíam para nada. Gena tem uma vaga lembrança de uma vez passar uns dias perto do mar. Criou-se um pacto silencioso entre os filhos e a mãe. Ninguém falava nada sobre o pai. A vida seguiu.

Os homens que mataram seu pai continuaram morando na sua casa durante três anos. Os vizinhos telefonaram para avisar que eles roubaram os móveis e os carros. Eles não podiam fazer nada. Só em 2010, quando a situação melhorou um pouco, foi possível ligar para a polícia para recuperar a posse da casa. Na fuga, os assassinos do pai levaram as roupas, as fotos, o diploma de advogada da mãe, todas as memórias da família.

Alguns anos se passaram até descobrirem a nacionalidade dos assassinos do pai. Eram um iraquiano, um sírio, um jordaniano e um bengali. O crime agora no Iraque era uma torre de babel.

Nunca souberam o motivo pelo qual o pai foi morto. Gena tem certeza de que os assassinos de seu pai sabiam que ele trabalhara como agente do serviço de inteligência de Saddam Hussein. Se não, teriam apenas o perseguido e ele ainda estaria vivo. Eles sabiam quem ele era.

FALEEHA

Nova Jersey, Estados Unidos, agosto de 2012

O bullying da vizinha, casada com um soldado americano que servia no Iraque, começou logo que Faleeha se mudou para o condomínio de classe média baixa num subúrbio de Nova Jersey. Jogava o lixo na porta da sua casa, tocava a campainha antes mesmo de o sol nascer, colocava o som no volume mais ensurdecedor possível de madrugada. Faleeha ainda titubeava com o inglês, mas quando flagrou a vizinha tirando fotos dos seus filhos com o celular, resolveu chamar a polícia.

Quando lhe disseram que iria morar em Nova Jersey, ela achou que haviam se confundido e queriam mesmo era dizer Nova York. Disseram que era perto. Menos de duas horas separam a sua casa de Nova York. A proximidade é apenas geográfica. Não poderia haver dois mundos mais opostos.

A vizinha pregava a morte a todos os iraquianos, inclusive Faleeha e seus filhos. Ninguém tomou nenhuma atitude nem condenou o comportamento da mulher. Quatro meses depois, ela é quem teve que se mudar para outro prédio no mesmo condomínio a alguns blocos de distância.

"Quando bebo chá em Nova Jersey, pratico a solidão", escreveu no poema que poderia resumir a sua vida nos Estados Unidos.

Filadélfia, Estados Unidos, 2014

"Cuidado, ela está atrás de você", Faleeha não queria acreditar quando ouviu a voz do homem cochichando no ouvido da mulher. Afinal estava no Museu de Arte da Filadélfia, à procura de uma das obras de Matisse, um de seus pintores prediletos. Faleeha e a filha, ambas usando o hijab, eram as únicas pessoas atrás do casal. Nem num museu, conseguia fugir do preconceito.

Foi um pouco depois desse incidente que decidiu proibir a filha de sair com o hijab. Tinha medo de que ela sofresse ataques verbais ou físicos. Alá a perdoará. Ela sabe se defender, mas a filha ainda é jovem. A maioria dos vizinhos em Nova Jersey, a meia hora da Filadélfia, nem sabe onde fica o Iraque no mapa, mas tem a certeza de que todos os iraquianos são terroristas. No Iraque é difícil ser uma mulher que escreve. Na América é difícil ser uma mulher de hijab. Olham para ela como se fosse uma criminosa.

Já desistiu de assistir a filmes sobre a guerra do Iraque. Os figurantes usam roupas de décadas passadas; o árabe muitas vezes não é o falado no Iraque, mas em países vizinhos. Às vezes nem árabe é. Será que os americanos não sabem que nem todo muçulmano é árabe e que nem todo árabe é muçulmano? Nos filmes americanos, há uma só certeza: os personagens muçulmanos são sempre os bandidos, os ladrões, os assassinos, os terroristas, os que traem as mulheres. Será que Hollywood não sabe que trair mulher, roubar, matar não é um atributo muçulmano, mas pode acontecer a qualquer cristão ou judeu, não é exclusividade de nenhuma religião?

Às vezes pensa que a grande diferença entre a América e o Iraque de Saddam Hussein é o 9-1-1, a linha de emergência para onde qualquer um pode telefonar se estiver correndo perigo nos Estados Unidos. Não havia para quem ligar no regime de Saddam.

GENA

Damasco, Síria, 2012

Gena cresceu ouvindo que deveria ser médica. A impressão que tem é de que toda família iraquiana quer que as filhas façam medicina. Mas, no último ano da escola, Gena decidiu que seria arquiteta.

As caminhadas pelo centro histórico de Damasco ao longo dos anos tiveram uma grande influência na sua decisão. As casas pareciam respeitar a direção dos ventos. Cada aposento ficava no lugar certo, protegido do frio ou do calor dependendo da época do ano.

Já estudava arquitetura quando a guerra civil eclodiu no país. As aulas foram transferidas para um antigo hotel.

Toda guerra começa com palavras. A da Síria não foi diferente: "É a sua vez, doutor", escreveram na parede os alunos de uma escola na cidade de Daraa. Os jovens e as crianças acabaram presos e torturados. O povo foi para as ruas de Daraa, Damasco, Homs, os protestos se espalharam por todo o país exigindo a queda do oftalmologista e presidente Bashar al-Assad. A resposta do regime foi mais repressão. A dos manifestantes, mais protestos. O resto da história o mundo acompanhou: a luta armada, a guerra sectária, o uso de armas químicas e a crueldade dos radicais extremistas do Estado Islâmico, a destruição do país, meio milhão de mortos, 11 milhões de refugiados dentro e fora da Síria.

Para Gena é tudo uma névoa na memória: soldados lutando, prédios em chamas, corpos nas ruas, os disparos ao longe, quase todos os amigos abandonando a universidade. Uma explosão na escadaria do antigo hotel, agora faculdade.

Gena já vivera numa guerra. Não precisava de outra. Não sabia o que fazer. A mãe começou a sugerir que fosse estudar em Bagdá. Os avós maternos já haviam voltado para casa, a segurança estava melhorando. Mas ela não queria deixar Damasco.

No ano em que a guerra civil começou na Síria, as tropas americanas deixavam o Iraque depois de nove anos de ocupação militar estrangeira e 11 trilhões de dólares jogados pela janela.

Em 2013, Gena se mudaria para a casa dos avós em Bagdá. Sua mãe e irmãos ficariam em Damasco. Ela poderia terminar a universidade onde nascera, sete anos depois de ter fugido da guerra no Iraque.

FALEEHA

Nova Jersey, 7 de novembro de 2019

Desde as cinco da manhã, Faleeha cozinha. Os ingredientes são difíceis de encontrar em Nova Jersey. Para preparar pratos típicos, deve fazer compras na Filadélfia. O aroma das especiarias toma conta dos cômodos do pequeno apartamento de dois quartos. Paga mais de mil dólares de aluguel. Tudo é caro nos Estados Unidos. Mas, para Faleeha, cozinhar é quase como escrever. É uma pena a cozinha não ser maior.

Sente falta da mesa sempre posta à espera de um amigo, um vizinho, um parente. Em Najaf, ninguém precisa ser convidado, basta aparecer para ser bem-vindo a qualquer hora do dia ou da noite. Quantas vezes não se reuniam todos para comer e conversar à meia-noite?

Nos Estados Unidos, tem receio até de telefonar para uma amiga às nove da noite. Manda um e-mail antes perguntando se pode ligar ou se já é tarde demais. Tem saudade de chegar de viagem em casa, em Najaf, e encontrar a mesa cheia.

Daqui a pouco a sua melhor amiga Emily vai chegar para almoçar. Foi a professora aposentada americana quem lhe ensinou inglês. É ela que a acompanha em muitos de seus recitais de poesia ou palestras. Até hoje quando tem dúvidas em inglês é a Emily a quem Faleeha recorre. Há tantas frases em árabe que não fazem sentido em inglês e tantas em inglês que não existem na sua língua. Emily mora a duas horas de carro. Nem sempre se veem. Tinha outra amiga, uma poeta de mais de oitenta anos. Mas agora pouco se veem, só se falam, de vez em quando, por telefone.

Para poder se sustentar trabalha como professora substituta para crianças de até dez anos. No início ouvia comentários preconceituosos até de alunos, mas pelo menos não dá aula para adolescentes; os filhos relatam as barbaridades que são ditas aos professores de alunos mais velhos. No Iraque, era uma professora conceituada, nos Estados Unidos vai conseguindo uma vaga aqui e ali para ensinar inglês como segunda língua.

Sente-se só. Os americanos a olham cheios de preconceito por causa da sua cor, da sua religião. Não a conhecem. Acha triste, mas natural. Se você não sabe nada sobre alguém, sente medo. É humano. Também com a imagem distorcida que veem na TV só podem pensar que os muçulmanos são os maus, o diabo. Será que se uma mulher cristã americana chegasse a Najaf, com roupas ocidentais, não seria vista com desconfiança? É duro, ela não quer culpar os americanos, mas, às vezes, acha que eles não gostam de ninguém. Fazem piadas preconceituosas sobre os chineses, os coreanos. Não há amor na América.

Já os iraquianos acham que é uma traidora por estar vivendo no país que os invadiu e que provocou o caos em que vivem hoje. No Iraque é perigoso ser uma escritora, uma intelectual. Nos Estados Unidos, ela tenta se integrar a uma cultura a qual não lhe pertence, falar uma língua que não conhecia, escrever poesia na língua do invasor. Foi na escrita que ela extravasou a sua angústia: Ela é apenas uma refugiada iraquiana na América. Alguns querem que ela morra e ela só quer um cumprimento, um alô.

Fica à espera de um momento mágico que vai arrancá-la dessa realidade, transportá-la talvez para as páginas dos livros de Gabriel García Márquez. Desejava ter uma varinha mágica para transformar a sua vida.

GENA

Bagdá, Iraque, 2013

Bagdá era o pesadelo. Não havia uma noite em que Gena não sonhasse o mesmo sonho. O pai pedia que fosse ao terraço, o homem encapuzado e armado aparecia e a mandava descer dizendo que o seu pai seria o próximo. Quando saía de casa, o pesadelo permanecia. Odiava viver nesse "novo" Iraque.

Uma jovem como ela, com 22 anos, não podia sair sem a companhia de um avô, tio ou um homem da família. Não podia ir ao mercado nem à biblioteca sozinha. As jovens de sua idade usavam o hijab. Ela se recusava a cobrir os cabelos. Na universidade, recebia olhares de reprovação pela ausência do véu ou quando usava calças compridas. Ela também não usava roupas pretas. As colegas se vestiam de preto meses a fio, cobertas dos pés à cabeça. Os livros da biblioteca eram da década de 1970.

Vivia numa bolha. Um motorista particular a levava para a faculdade e a buscava de volta para a casa dos avós. Os colegas eram hostis porque ela havia abandonado o país para viver na Síria.

Enquanto Gena vivia seu pesadelo particular, o Iraque mergulhava no pesadelo chamado Estado Islâmico. O grupo extremista sunita havia nascido no Iraque pós-Saddam Hussein, em reação à presença das tropas americanas. Em 2013, os radicais sunitas ressurgiram ainda mais sanguinários e começaram também a atuar na Síria. O ano em que Gena foi estudar em Bagdá foi também o ano em que a violência sectária matou mais civis no Iraque desde abril de 2008. Nos anos seguintes, o Estado Islâmico, ou Daesh, ocuparia 40% do território iraquiano e um terço da Síria, torturando, cortando cabeças, matando quem quer que encontrasse pela frente. As execuções filmadas transbordariam sangue pelas redes sociais.

Gena não era religiosa. A família nunca havia sido e agora a religião passara a dominar todos os aspectos do dia a dia. Quando um dos professores a pressionou para publicar algo sobre os xiitas nas redes sociais e ela se recusou, começou uma guerra particular contra Gena. Os estudantes que rodeavam esse professor também a perseguiam. Não conseguia lidar com a situação. Entrou em depressão. Não suportava viver numa sociedade que tinha se radicalizado tanto. Não havia liberdade.

Não se sentia bem em Bagdá, preferia voltar para a Síria em guerra. Menos de um ano depois de chegar ao Iraque foi embora para Damasco. Não pertencia mais ao Iraque.

O primeiro raio de luz

AHMER
Vale do Swat, Paquistão, 2011

Ahmer sentia vergonha nos primeiros encontros. Quando a viu pela primeira vez, ele estava em pé, parado, debaixo de uma árvore. Vestia uma túnica. No início, eles não queriam usar calças compridas. O Talibã dizia que só os infiéis vestiam calças. Ela se aproximou, perguntou se podia ajudá-lo. Ele não respondeu. Manteve-se em silêncio. No início tinha dificuldade para falar. Não se sentia confortável diante de uma mulher. Era compreensível, já que até os treze anos a única mulher com quem tivera contato havia sido sua própria mãe.

Mas naquela manhã ao pé da árvore, a neuropsicóloga Feriha Peracha, responsável pelo Sabaoon, chegou para mudar a direção da sua vida.

Sabaoon em pachto significa o primeiro raio de sol da manhã. Começava o fim da escuridão para Ahmer.

Ela o viu debaixo da árvore. Ahmer não respondeu. Era normal. Feriha deixava que ficassem em silêncio. Era preciso conquistar a confiança deles. Alguns levavam até seis meses para começar a falar. O importante era saber que não seriam punidos; que podiam compartilhar com ela suas histórias por mais terríveis que fossem; que tudo o que contassem era confidencial; que ela e sua equipe os ajudariam; que não estavam numa prisão.

Um dos rapazes só desenhava baldes quadrados e vermelhos. Tinha sido "protegido" de um dos comandantes do Talibã paquistanês que toda vez que saía o levava à frente, a uma certa distância, com um cinturão de explosivos. Se houvesse alguma situação de risco, o comandante acionaria o controle remoto e o menino iria pelos ares. Nos desenhos, o sangue jorrava dos baldes.

Após um breve instante, ela voltou a perguntar a Ahmer o que poderia fazer para ajudá-lo. Ele disse que queria conhecer o Ronaldo. Feriha Peracha não tinha a menor ideia de quem seria Cristiano Ronaldo.

Quando subia a colina em direção ao forte de Malakand, onde ela dormia, Feriha se perguntava se aqueles meninos seriam capazes de matá-la.

Aos pés da cadeia de montanhas de Indocuche, o vale do Swat jaz exuberantemente verde, no verão, e hipnotizante, no inverno, quando os gigantescos picos da cordilheira ficam cobertos de neve. Berço da civilização budista; palco das batalhas de Alexandre, O Grande; salpicado de fortes construídos durante o Império Mogol ou pelos britânicos, no século 19, a área seria transformada no reino de horror do Talibã paquistanês, entre 2007 e 2009, até o Exército paquistanês invadir a região para controlar o vale numa ofensiva militar que obrigou mais de 2 milhões de pessoas a abandonar suas casas.

Como muitos paquistaneses de classes urbanas e mais privilegiadas, Feriha Peracha custou a perceber a dimensão do terrorismo doméstico após a ocupação do país vizinho e da aliança do governo com os Estados Unidos na Guerra ao Terror. Achou que o problema estaria limitado às áreas tribais fronteiriças com o Afeganistão. Só acordou em 2007 quando os atentados cometidos por paquistaneses contra paquistaneses passaram a ocorrer na capital Islamabad.

A psicóloga vivera 25 anos no Canadá e no Reino Unido. Desde que voltara para o Paquistão, se revezava entre o hospital, o consultório particular e o voluntariado em Lahore, uma das cidades mais cosmopolitas de seu país.

Quando recebeu o telefonema do general pedindo que fosse ajudá-lo a fazer a "perfilagem" de doze meninos treinados pelo Talibã e capturados pelo Exército paquistanês, Feriha não hesitou por nem um momento. Reconhecia que estivera vivendo numa espécie de paraíso dos tolos durante os últimos anos. Sentia o dever de ajudar.

Desligou o telefone, disse a Raafia, sua colega psicóloga, que iria para o vale do Swat na manhã seguinte. As duas sabiam o que isso significava. O marido a apoiou apesar de o resto da família achar uma loucura, que ela seria assassinada.

O cenário era ainda de guerra. A contrainsurreição estava em curso. Ser alvo do Talibã numa emboscada era uma possibilidade. As execuções não eram fantasia. Sair de Lahore até Mingora, no vale do Swat, seria uma aventura perigosa. Feriha e Raafia mudariam de carro duas vezes em oito horas de viagem.

Mingora ficara conhecida pelas decapitações em praça pública e corpos mutilados pelo Talibã. Foram para a sede do governo local, completamente cercada pelos militares, com um forte esquema de segurança. Estavam entrincheiradas. As duas se vestiam cobrindo o corpo todo, dos pés à cabeça, e usavam óculos escuros para esconder os olhos.

Eles tinham entre dez e quinze anos. Tinham um ar tão inocente, jovem e vulnerável que era difícil imaginar que podiam ter cometido crimes ou atos bárbaros. Feriha e Raafia encontraram jovens traumatizados, vítimas de uma violenta lavagem cerebral.

Estavam em outro tempo e espaço. Eram muito pobres, analfabetos, negligenciados por suas famílias. Acreditavam no que os comandantes do Talibã lhes haviam dito; que ao matar um soldado paquistanês estariam ajudando a sociedade, fazendo algo bom, livrando-se dos infiéis e seriam recompensados por Deus. Os militares paquistaneses eram os infiéis. Os militares paquistaneses eram os americanos.

Prender aqueles meninos era a pior solução. As duas recomendaram que eles passassem por um programa de reabilitação e não fossem jogados em celas. Eram crianças que precisavam de uma chance para viver como crianças.

"O presidente Barack Obama está na cidade?", arriscou a psicóloga mais jovem, ao seu lado, ao olhar para o céu infestado de helicópteros.

Era difícil para Raafia e Feriha não se surpreenderem com o esquema de segurança. Um mês depois do primeiro encontro com os rapazes, Feriha havia sido chamada, de novo, ao vale do Swat, para apresentar suas conclusões à cúpula militar. No fim, o chefe do Exército paquistanês perguntou se podia contar com ela para liderar o projeto. Ela respondeu que sim.

Nascia Sabaoon, o centro de desradicalização e reabilitação de meninos dos oito aos dezoito anos, onde Feriha, Raafia e uma equipe de psicólogos, professores e assistentes sociais, todos civis, com a segurança garantida pelo Exército, desenvolveriam um método de reintegração considerado único no mundo.

O programa seria criado com base nas necessidades desses jovens. De baixo para cima, e não de cima para baixo. Fariam de tudo para ajudá-los a construir outra vida e para garantir que eles se mantivessem nesse caminho depois da reintegração. Um trabalho lento, individualizado e monitorado por muitos anos, até terem a certeza de que não haveria nenhum risco de algum deles voltar ao extremismo. Ahmer não queria voltar.

O general

EHSAN UL-HAQ

Islamabad, Paquistão, 2001-03

A relação com a CIA, com o secretário de Estado Colin Powell e com todos os membros do governo americano com os quais conviveu é muito boa. Sua experiência em Fort Lee, anos antes, o ajudara a compreender a maneira como as instituições americanas e a cabeça deles funcionam. Os Estados Unidos precisavam do governo do Paquistão para chegar aos terroristas da Al-Qaeda. O governo paquistanês também queria estreitar os laços. Os problemas começaram quando, em 2003, os Estados Unidos resolveram invadir o Iraque e a situação piorou no Afeganistão.

A pressão é cada vez maior para que o governo do Paquistão impeça o vai e vem de militantes do Talibã e da Al-Qaeda entre os milhares de pessoas que passam todos os dias pela fronteira aberta de 2 500 quilômetros de extensão entre os dois países. Em 2002, 3 milhões de refugiados afegãos estavam registrados no Paquistão. Muitos talibãs afegãos tinham famílias vivendo no país vizinho. Os Estados Unidos achavam que o Paquistão devia fazer mais para capturar os terroristas.

Quase duas décadas depois, o general Ehsan Ul-Haq afirmaria sem qualquer hesitação que o seu período no comando dos serviços de inteligência foi o melhor da conflituosa relação entre Paquistão e Estados Unidos. É só perguntar para os colegas americanos daquela época. Está certo de qual será a resposta.

AHMER

Sabaoon, vale do Swat, Paquistão, 2011

Antes de chegar a Sabaoon, Ahmer foi investigado pelo Serviço de Inteligência. Durante dois anos, ficou numa prisão militar. Assistia à televisão. Não gosta de lembrar nem de falar daquela época.

Demorou alguns meses para começar a se abrir com Feriha e Raafia. As histórias de Sabaoon são como um quebra-cabeça. Ninguém traz escrito na testa: sou terrorista. Elas se entreolham quando eles contam as atrocidades, os episódios de violência extrema, as explosões sanguinárias como se tivessem ido à esquina comer um hambúrguer, tamanha a falta de emoção. A cada conversa as psicólogas descobrem uma nova peça que se encaixa e lhes permite entender a dimensão do trauma, o retrato completo de cada jovem e, assim, trabalhar cada caso em particular.

Ahmer também precisou de uns meses para se sentir à vontade com os outros meninos.

Algumas crianças e adolescentes são bastante agressivos. Mudar o comportamento deles é um desafio. Os meninos passam por uma batelada de exames médicos. Vêm de famílias muito pobres. As mães têm em média oito filhos. Mas muitas chegam a ter até dezesseis crianças. Não há pré-natal ou quaisquer cuidados. Muitas mulheres fazem o próprio parto. Depois os filhos pegam doenças na infância: sarampo, catapora, meningite. Em pouco tempo, Feriha constatou que era comum que os jovens com comportamento hostil tivessem desenvolvido algum tipo de neuropatologia e por essa razão tinham dificuldade para se concentrar e aprender e muitas vezes abandonavam a escola. A maioria dos que estavam em Sabaoon havia desistido de estudar antes mesmo de ser aliciada pelos terroristas. Nessa região, a taxa de abandono escolar ronda os 70%. Não era difícil para um talibã convencê-los a largar tudo.

Muitos jovens precisam tomar ansiolíticos e antidepressivos. Foram diagnosticados por um psiquiatra que vem todas as semanas a Sabaoon. Alguns têm comportamento bipolar ou sofrem de esquizofrenia. Grande parte sofre de distúrbios de sono. A descoberta de que muitos sofrem de distúrbios mentais deixa Feriha perturbada. Ahmer sofre de transtorno de estresse pós-traumático.

EHSAN UL-HAQ

Islamabad, Paquistão, dezembro de 2019

Ehsan Ul-Haq mora a cerca de meia hora de Islamabad. É comum que generais e altos funcionários do governo paquistanês aposentados vivam em casas luxuosas cercadas de grandes jardins, um oásis de tranquilidade.

Logo no hall de entrada, uma grande escultura de um tanque de guerra lembra a qualquer convidado o passado do dono da casa. Foi um presente que o general ganhou quando se aposentou em 2007, ano em que o país começaria a mergulhar numa escalada sem precedentes do terrorismo doméstico.

"É fácil os Estados Unidos mandarem tropas para o Afeganistão e para o Iraque, não acha?", dispara o general Ehsan enquanto o empregado serve chá com leite, chamuças e sanduíches.

Essa não é uma frase hipotética para Ehsan, que, três meses depois do Onze de Setembro, estava no centro das decisões quando as tropas paquistanesas foram enviadas para as áreas tribais, algo inédito na história do país e inimaginável para Ehsan. Nunca imaginou que enquanto estivesse vivo, na ativa, algo dessa grandeza aconteceria. Era pashtun, conhecia aquela região. Mas os atentados do Onze de Setembro e a ocupação do Afeganistão provocaram o que Ehsan Ul-Haq considerava impossível.

Até 2018, o cinturão das áreas tribais no montanhoso noroeste paquistanês era terra de ninguém, um legado do império britânico, que preferiu não as dominar a deixar as tribos de etnia pashtun viver como desejassem. Quando o Paquistão foi criado, em 1947, manteve a herança britânica, e o território ficou fora de suas províncias, subdivido entre tribos, cada uma com suas próprias leis. Um conselho formado pelos anciãos tomava as decisões legais, administrativas e políticas de acordo com seus códigos de honra e de conduta tradicionais. As leis do Paquistão não valiam nessa região, e qualquer intervenção do presidente do país só podia acontecer depois de consulta prévia aos líderes locais.

Desde 2002 havia pressão dos americanos para que o Exército paquistanês entrasse nas áreas tribais, controlasse a fronteira e capturasse terroristas da Al-Qaeda, e ela só aumentava. Além de essas áreas virarem refúgio para a Al-Qaeda e para militantes do Talibã afegão, viriam nascer o Talibã paquistanês, o TTP — uma reação à presença dos militares paquistaneses que cederam à pressão americana. O Talibã paquistanês era um amálgama formado por 27 grupos distintos sem uma liderança única e sem uma hierarquia definida, diferente do homônimo do outro lado da fronteira.

A população de cerca de 3,2 milhões de pessoas das áreas tribais, muito pobre, praticamente sem sistema de saúde nem educação, estava à mercê dos sequestros, das execuções sumárias e dos combates entre os terroristas e as tropas paquistanesas e dos ataques dos caças não tripulados americanos, os drones.

"Vamos imaginar as tropas americanas entrando em Oklahoma. Como reagiria a sociedade americana? Acho que enfim eles entenderiam o que significa dano colateral. Porque foi isso o que nós vivemos."

AHMER

Sabaoon, vale do Swat, Paquistão, 2011

Ahmer é incentivado a fazer perguntas, a desenvolver o pensamento crítico, a não aceitar tudo o que lhe dizem sem questionar — o oposto do que acontecia nos centros de treinamento dos terroristas. Faz aulas de computação, inglês e urdu, uma das línguas oficiais do Paquistão que a maioria dos meninos do vale não sabe falar. Ainda frequenta os cursos profissionalizantes de mecânica e de eletrônica e assiste às aulas de religião, onde lhe explicam o verdadeiro significado dos conceitos de jihad, fiéis, infiéis e tolerância, e aprende a entender o que realmente está escrito no Alcorão. Com os extremistas, eles decoravam o livro sagrado escrito em árabe, uma língua que não conhecem e, quando lhes diziam que matar soldados paquistaneses estava escrito no texto sagrado dos muçulmanos, eles acreditavam.

O que Feriha quer mesmo é que Ahmer encare o monstro. Só assim não voltará a ser assombrado. Feriha trabalha com terapia cognitivo-comportamental. Sua equipe ajuda Ahmer a identificar os padrões de pensamentos, as emoções e os comportamentos negativos para racionalizá-los. Quer quebrar o ciclo vicioso em que a ansiedade e a raiva dão origem a comportamentos negativos que por sua vez catalisam mais emoções negativas, criando mudanças fisiológicas no corpo e bioquímicas no cérebro. Mas se racionalizassem, se usassem a lógica poderiam alcançar um modo de pensar mais equilibrado.

Ahmer havia sido iludido. A retórica do Talibã paquistanês era eles contra nós. Preto e branco sem espaço para o cinza. O objetivo é que eles comecem a ter múltiplas perspectivas, somem os vários cinzas e abandonem o pensamento binário preto e branco. Não é mais eu sou mau ou eu sou bom. Há muita coisa boa em mim, há algumas más. Há muita coisa boa no outro e algumas más. O mais importante não é a conclusão, mas como chegam até ela. Ahmer seria incentivado a usar o córtex pré-frontal, a parte do cérebro onde ocorrem os processos mentais e cognitivos mais complexos. Era esse o caminho. Ahmer teria uma chance de mudar o seu destino.

EHSAN UL-HAQ

Islamabad, Paquistão, 2002-04

No início, o problema era limitado e localizado em alguns trechos das áreas tribais. Militantes do Talibã afegão e da Al-Qaeda atravessavam a fronteira, onde viviam e planejavam os ataques que depois eram perpetrados no Afeganistão. O sentimento da opinião pública era de que o Paquistão não deveria usar força militar nas áreas tribais. Havia diferenças de opinião em como lidar com a situação, mas a ordem dentro do governo do general Musharraf era lidar com a situação de maneira política. O general Musharraf comandava o país tanto militar quanto politicamente.

Logo ficou evidente para o general Ehsan Ul-Haq que aquela estratégia não iria longe. No fim de 2003, começava a primeira operação militar nas áreas tribais. Em março de 2004, um grande ataque deixou claro que só as forças paramilitares não eram suficientes para conter os extremistas. Também em 2004, os Estados Unidos passariam a usar drones contra os terroristas que utilizavam o cinturão tribal como porto seguro. No decorrer dos anos os ataques não tripulados errariam muitas vezes de alvo matando civis paquistaneses e aumentando o sentimento antiamericano. O uso de drones ajudaria os diferentes grupos extremistas a recrutar mais simpatizantes das áreas tribais. Os militantes do Talibã afegão não atacavam no Paquistão. Mas com o Talibã paquistanês, a história era outra. O seu alvo número 1 eram os militares paquistaneses.

AHMER

Sabaoon, vale do Swat, Paquistão, 2012-13

O primeiro encontro com os pais em Sabaoon acabou em lágrimas. Ahmer não conseguiu controlar a emoção. Não os via desde que partira com os talibãs.

A família é fundamental na recuperação dos jovens. Mas, para a maioria, não é um processo fácil. Muitos pais haviam delatado e entregue os próprios filhos, outros tiveram as casas destruídas nas operações militares e não perdoavam os filhos, e havia ainda pais ou irmãos militantes extremistas envolvidos em atividades terroristas.

Feriha e os psicólogos de sua equipe fazem visitas regulares às aldeias e conversam com os pais, parentes, amigos e os anciãos, que têm extrema importância nas áreas tribais. Mas os psicólogos também precisam da autorização dos pais para que os filhos permaneçam em Sabaoon.

Para Ahmer, a doutora Feriha Peracha é uma mãe. Raafia, uma irmã. Quando elas começaram, Feriha achou que ser mulher poderia atrapalhar sua interação com os rapazes. Com tantos irmãos, eles raramente recebiam atenção materna. Muitos deles haviam explodido escolas de meninas antes de chegarem a Sabaoon. Quando a viam com a mão descoberta, apesar de estar tapada dos pés à cabeça, olhavam-na com repúdio. Mas, aos poucos, Feriha percebeu que ser mulher ajudava.

Eles também não sabiam como seriam tratados. Não é fácil para Ahmer olhar para trás. Não é fácil para nenhum deles encarar o que fizeram agora que sabem o que isso de fato significa. As mudanças vão acontecendo aos poucos. Os soldados que fazem a segurança e que eram encarados com ódio pelos meninos que os queriam matar agora recebiam cumprimentos e saudações.

Tão bom quanto jogar futebol ou críquete é assistir aos filmes de Bollywood com os colegas, na sala de TV. Não fala do seu passado com os outros. Nem com o jovem que divide o quarto. O esporte e as atividades culturais o ajudam a superar a dificuldade para se relacionar com quem tem os mesmos traumas que ele. Também não acha mais estranho conversar com Feriha e Raafia. Já consegue olhar para uma mulher sem sentir vergonha. Em Sabaoon, aprendeu o que tinha acontecido em 11 de setembro de 2001, nos Estados Unidos, e ouviu falar pela primeira vez de Osama bin Laden. Quando em 2013, dois anos depois de chegar, Ahmer deixou Sabaoon, vestia calças compridas.

EHSAN UL-HAQ

Islamabad, Paquistão, dezembro de 2019

O general Ehsan Ul-Haq olha em perspectiva e consegue admitir os erros do governo do qual fez parte. O Paquistão deveria ter agido de modo diferente nas áreas tribais. Em 2004, seu último ano como chefe da espionagem, ocorreu o primeiro acordo com os militantes. Depois viriam mais onze acordos. Ehsan sempre se opôs ao modo como os acordos eram negociados. Os responsáveis do lado do governo passavam a impressão de que estavam desesperados, não negociavam numa posição de força. Deveriam ter feito como os britânicos na época do Império no século 19, deixando claro que, se os acordos não fossem cumpridos, eles teriam a capacidade militar de os expulsarem. Mas a mensagem que passaram foi de fraqueza.

Em 2007, os extremistas do Talibã paquistanês não se limitavam às áreas tribais, já ocupavam o vale do Swat. Em julho de 2007, clérigos, militantes, simpatizantes do Talibã e estudantes se entrincheiraram na mesquita vermelha de Islamabad supostamente com reféns. Ficaram uma semana cercados pelo Exército até as forças especiais invadirem a mesquita. Cem pessoas morreram. Era o início da onda de violência originada a partir das áreas tribais: em uma semana, dez ataques suicidas e 150 mortos. Os atentados não se limitaram mais ao cinturão tribal nem a alvos militares.

A morte dos militantes na mesquita iria alimentar mais ainda a ira dos extremistas, que iam conseguindo atrair mais seguidores. Em 2007, com o Talibã paquistanês ocupando o vale do Swat, a política interna do país ditaria mais uma vez as regras, e o Exército adiaria a operação militar. No início de 2009, a barbárie do Talibã já não podia ser ignorada e começou mais uma operação militar para retomar a região.

Em cidades como Lahore, Karachi e Islamabad, ir ao mercado poderia significar a morte entre 2009 e 2013. Só em 2009, quase 12 mil pessoas morreriam em atentados suicidas por todo o país. Quem podia, como o general Ehsan, mandava os filhos estudarem fora do país. Não só ele, mas toda a sociedade estava refém dos suicidas. Morreram civis, artistas, jornalistas, políticos, militares. Ehsan conta 70 mil pessoas mortas, 70 mil famílias que perderam algum parente. Um país inteiro traumatizado. Como esquecer esse período da história? É um trauma nacional.

Só sete anos depois de Ehsan ter deixado o governo e se aposentado, o atentado contra uma escola militar em Peshawar mataria mais de 140 pessoas, na maioria crianças e jovens, e faria com que o Paquistão revertesse o jogo e começasse a vencer a guerra interna contra o terror.

Na selva

BAKER

Arquipélago de Sulu, Filipinas, 2013

A cabana devia ter um metro por um metro e meio. Foi colocado ali há três meses, como forma de punição depois de sua segunda tentativa de fuga. Baker tinha quase 1,80 metro de altura. Para que suas pernas e pés não ficassem do lado de fora, se contorcia como se fosse um feto na barriga da mãe. Logo ele que era um aficionado por exercícios, praticava halterofilismo e chegava a levantar 175 quilos, todo espremido sem poder se mexer. Estava havia três meses sem ver ninguém. Deixavam a comida por um buraco. Apenas o suficiente para que não morresse.

Não batiam nele. Algumas famílias se revezavam para impedir que fugisse. Três ou quatro homens estavam armados em vigília, de olho no jornalista-refém, 24 horas por dia.

Apesar da tortura psicológica, ainda conseguia dormir. Nada alterava seu sono. Na primeira noite do seu sequestro, 12 de junho de 2012, dormira a noite toda. Quando queria dormir, dormia. Sempre foi assim.

Eles não notaram sua primeira tentativa de fuga. Um dos homens era malaio e queria aprender árabe. Baker Atyani se ofereceu para ensiná-lo. No decorrer das aulas, soube que o malaio não gostava dos militantes filipinos, aliás, que os odiava. Baker percebeu uma oportunidade. O aluno acabou deixando que ele usasse o seu telefone. Ligou para o filipino que estava tentando negociar o pagamento do resgate em troca de sua liberdade. Através do sinal do celular, o negociador conseguiria descobrir sua localização.

Combinaram os detalhes do plano de fuga. Baker teria que sair à noite e caminhar pela selva até o ponto de encontro, próximo ao acampamento. Um grupo estaria à sua espera. Depois de meses, quando o dia enfim chegou, saiu do cativeiro com a ajuda do malaio. Andou apenas alguns metros e parou ao avistar luzes no meio da selva. Assustou-se. E se fossem os próprios sequestradores e se tratasse de uma emboscada? E se o militante da Malásia o tivesse traído? Soube depois que teria sido salvo. Mas, naquele momento, o medo era mais forte, voltou e assim terminou a primeira tentativa de fugir dos militantes separatistas Abu Sayyaf, nas ilhas Sulu, nas Filipinas.

Tantos anos vivendo e trabalhando no Paquistão, acompanhando operações militares, entrevistando líderes da Al-Qaeda, do Talibã e de outros grupos radicais islâmicos e acabara refém nessa ilha no sul dos Filipinas. Seria esse o seu fim? Se não tivesse entrevistado Osama bin Laden e passado os últimos onze anos cobrindo os grupos separatistas e radicais islâmicos da Ásia talvez não tivesse sido sequestrado. Atraído pela possiblidade de entrevistar o líder do Abu Sayyaf, tinha caído numa armadilha e acabara refém dos militantes do grupo separatista islâmico mais perigoso e violento das Filipinas.

Não havia qualquer dúvida de que entrevistar Osama bin Laden tinha mudado a direção de sua carreira e o tinha guiado para o meio da selva nas Filipinas.

Cidade do Kuwait, até 1990

Há meninos curiosos, e Baker Atyani sempre tinha sido um deles. Obcecado pelo que acontecia ao seu redor, não saía de casa sem um caderno em que pudesse escrever tudo o que via, devorava os jornais. Numa época em que ninguém sonhava com a internet, recortava as principais notícias e colava em álbuns que colecionava. Não queria perder nada.

Não era pouco o que acontecia no seu mundo. A família era de Jenin, na Cisjordânia, que, na época, pertencia à Jordânia. Em 1967, um ano antes de Baker nascer, Israel venceu a Guerra dos Seis Dias e milhares de palestinos tiveram que fugir da Cisjordânia. Seu pai foi um deles. Refugiou-se no Kuwait, para onde foram depois a mulher e os filhos. Viveriam na Cidade do Kuwait até 1990 quando mais uma vez foram forçados a sair com a invasão das tropas de Saddam Hussein. Na época, mais de 400 mil palestinos viviam no Emirado do Golfo Pérsico.

Foram todos para a Jordânia. Como muitos palestinos que tiveram que fugir da Cisjordânia em 1967, o pai e sua família tinham a nacionalidade jordaniana.

Em 1991, Baker voltou a partir, dessa vez sozinho, para o Paquistão, onde iria cursar a faculdade de ciências econômicas.

Arquipélago de Sulu, Filipinas, 2012

Menos de 24 horas depois de ter sido sequestrado, Baker foi levado para fora do acampamento. Meia hora depois no meio da selva, os sequestradores telefonaram para o seu chefe na TV pedindo o resgate de 3 milhões de dólares. Com o passar dos meses, os sequestradores reduziriam a soma para 1 milhão de dólares.

Os militantes conseguiram o número do telefone do pai de Baker e lhe enviaram um SMS: "Você deve cooperar se não quiser ver a cabeça do seu filho separada do corpo". As decapitações eram a marca registrada do Abu Sayyaf.

Islamabad, Paquistão, 2001

Baker nunca entendeu muito bem o que o motivou a ser jornalista. Queria ter estudado física. É verdade que sempre participara do mural de notícias da escola e adorava a língua árabe a ponto de escrever alguns poemas, mas era a física a sua grande paixão, talvez só se igualando à matemática.

Já terminara os estudos e vivia na Jordânia quando um amigo que tinha uma pequena agência de notícias o convidou a escrever. Concordou. O amigo gostava do que ele escrevia, e um dia perguntou se Baker não queria ser o correspondente da agência no Paquistão. Aceitou.

Adorava Islamabad. Tinha sido amor à primeira vista desde que havia ido pela primeira vez para estudar na universidade. Logo aprendera o urdu, a língua local, e se familiarizara com a dinâmica da sociedade paquistanesa. Difícil encontrar povo que receba estrangeiros tão bem quanto os paquistaneses. Difícil não se sentir acolhido.

Em 1998, alguns meses depois de começar a trabalhar em Islamabad, soube que a MBC (Middle East Broadcasting Center), o canal árabe que, na época, era líder de audiência no Oriente Médio, precisava de um correspondente para cobrir o Sul da Ásia. Entre seis candidatos, Baker foi o escolhido.

Em 2001, quando recebeu o primeiro telefonema do mensageiro da Al-Qaeda para entrevistar Osama bin Laden, era um rosto conhecido. Às vezes, o abordavam na rua. Quando estava de bom humor, sorria e respondia que era parecido com o Baker Atyani, o tal jornalista da TV.

Arquipélago de Sulu, Filipinas, 2013

Pensava na família, nos filhos. Tem quatro, todos meninos. Será que voltaria a vê-los? Os momentos em cativeiro eram todos iguais. O único exercício era o da angústia, a rotina era o vazio.

Tem certeza de que foi o jornalista filipino quem o traiu. Estava trabalhando num documentário justamente sobre o processo de paz, e o filipino prometera que conseguiria uma entrevista com o líder do Abu Sayyaf e o "vendera" para os militantes. Teria sido por dinheiro? O cinegrafista e o assistente de câmera, ambos filipinos, tinham sido libertados depois de oito meses. Baker era estrangeiro, trabalhava desde 2003 para a Al Arabiya, o canal de notícias 24 horas no ar que nascera às vésperas da invasão americana ao Iraque, a Guerra ao Terror proclamada por George W. Bush. Baker valia mais.

Tudo tinha começado depois da entrevista com Bin Laden. Da noite para o dia, todos queriam saber sua opinião e faziam perguntas sobre a Al-Qaeda, os radicais islâmicos, o terrorismo. Estudou, pesquisou, entrevistou militantes do sul e do sudeste asiático. Uma história foi levando a outra. Entrevistara um dos líderes indonésios do Jemaah Islamiyah, responsável pelos atentados de Bali, em 2002, que mataram mais de duzentas pessoas, e acabara de ter um encontro com um dos líderes da Frente Moro de Libertação Nacional, o maior grupo separatista islâmico do país, que estava prestes a assinar um acordo de paz com o governo filipino.

E justamente a três meses do acordo de paz, ele havia sido sequestrado pelo Abu Sayyaf, o grupo ainda mais radical e violento cuja única assinatura eram as decapitações, execuções de civis, atentados à bomba e sequestros com resgate. Os militantes queriam dinheiro.

Em dezoito meses em poder dos sequestradores, já haviam mudado onze vezes de acampamento dentro da floresta. Baker seguia a luz do sol. É a única maneira que um refém tem de contar o tempo. Quando o sol se põe, é hora de dormir; quando nasce, é hora de acordar. Estava na hora de dormir.

Parte 3

A valsa afegã

RAFI

Viena, Áustria, janeiro de 2020

A notícia de que o seu pedido de cidadania tinha sido aceito pelas autoridades austríacas não chegou no Natal de 2019, dia do aniversário da mulher, como ele gostaria, só alguns dias depois, em janeiro do ano seguinte. Mas para a conclusão do processo era necessário que Rafi conseguisse um documento de Cabul confirmando que ele e a mulher abriam mão da cidadania afegã. Mais uma odisseia para Rafi, que já ouvira tantas histórias de quem fizera pedido semelhante.

Rafi deu entrada ao pedido na embaixada do Afeganistão em Viena. Arranjou uma pessoa em Cabul para ir ao Ministério das Relações Exteriores entregar os documentos necessários. Mas para o processo andar ele devia contratar alguém para ir de repartição em repartição e pagar propina aos funcionários para conseguir a declaração. Era assim no Afeganistão. Nem passava pela cabeça de Rafi ter que corromper alguém, cometer uma ilegalidade para conseguir um documento, ao qual tinha direito, nem colocar a vida de uma pessoa em risco sabendo que as repartições oficiais ficam na região da capital atingida por atentados quase que diariamente.

GAWHAR

Viena, Áustria, 21 de maio de 2016

Naquela manhã de maio, andara diversas vezes perguntando a quem sabia falar inglês como chegar ao destino, o endereço que o policial escrevera no papel. Foi o bonde 38 que a levou para a única direção que podia seguir. O centro para refugiados ficava em frente a uma das paradas do bonde.

Quando chegou, deram-lhe um cobertor, uma escova de dentes, artigos de banho e a levaram para o quarto no segundo andar. Eram todos obrigados a deixar as portas dos quartos abertas. Explicaram a Gawhar os horários das refeições. Na primeira noite, dormiu sozinha. Na segunda noite, dividiu o quarto com uma paquistanesa. Na terceira, uma somali se juntou ao grupo. Tornaram-se amigas.

Uma iraquiana com dois filhos quis ajudar logo que Gawhar chegou. Apesar de não falarem a mesma língua, conseguiram se entender. Gawhar pediu o telefone emprestado. Ela tinha decorado o número de telefone do marido da irmã que morava em Viena. Tentou ligar, mas ele não atendeu. O segundo telefonema foi para o namorado, o afegão que os pais não aceitavam como genro. Eram sete anos de namoro secreto. A chamada também não foi atendida. Mas minutos depois ele retornou a ligação e a iraquiana lhe estendeu o aparelho. Gawhar não conseguia parar de chorar. Entre soluços, pedia que o namorado telefonasse para a irmã e explicasse onde ela estava. A única referência que tinha era o número do bonde, o 38.

O marido da irmã finalmente ligou e pediu que ela tentasse ler o nome da rua e o número que estava na porta. Tudo era novo e estranho para Gawhar.

Na manhã seguinte, ele chegou. Deu-lhe um celular e cem euros. Ela podia sair durante o dia, mas era obrigada a voltar até as dez da noite. Não estava numa prisão.

Nas cinco manhãs seguintes, Gawhar saía às oito e voltava em torno das nove da noite. Passava o dia com a irmã e com os sobrinhos.

No sexto dia, o marido da irmã a levou a um advogado para que entrasse sozinha com o pedido de asilo como refugiada. A partir desse dia ela não voltou mais para o centro e, nos primeiros meses, viveu com a família.

Mas não esqueceu as amigas da Somália e do Paquistão que conheceu naqueles cinco dias. Elas falavam em urdu, a língua paquistanesa que Gawhar aprendera quando era criança e vivera em Peshawar e que a jovem da Somália também sabia falar. Foi através da amiga somali que conseguiu seu primeiro trabalho como voluntária, na Cruz Vermelha. As duas companheiras de quarto tiveram filhos e receberam do governo o estatuto de refugiadas. Agora só faltava Gawhar.

RAFI

Viena, Áustria, agosto de 2020

Doze anos depois de ter recebido o telefonema com a notícia de que havia sido selecionado para o emprego, Rafi não tinha dúvidas de que os chefes viram nele um potencial que nem ele imaginava ter. É hoje o funcionário mais antigo no departamento, com mais experiência no trabalho de integração e aconselhamento de quem pede asilo como refugiado na Áustria.

No início, metade dos colegas eram austríacos e a outra metade eram imigrantes. Hoje, essa proporção se alterou. A maioria esmagadora dos colegas é imigrante ou filho de imigrantes nascido na Áustria.

Nunca pensou em abandonar o emprego. Não queria correr o risco de ficar desempregado enquanto procurava outro trabalho; queria ter um emprego estável durante o processo de cidadania e renda fixa para o empréstimo da casa. Mas a principal razão é que nunca teve motivo para pensar em procurar outro trabalho, tamanho é o respeito entre seus colegas.

Agora, durante o verão, foi eleito um dos membros da direção do recém-criado sindicato da instituição. Gosta de lutar pelos direitos dos trabalhadores e de evitar injustiças. É bom saber que não são apenas os chefes que acreditam no seu potencial.

GAWHAR

Viena, Áustria, julho de 2019

Até chegar a Viena, Gawhar nunca havia entrado na água. Nadar era tabu para meninas e mulheres afegãs mesmo depois do fim do regime Talibã.

A vontade de aprender a nadar veio à tona quando foi com a irmã levar os sobrinhos às aulas. Ficavam as duas sentadas assistindo às crianças nadarem numa piscina pública da cidade.

Precisava vencer a fobia à água. Comprou uma roupa de natação que cobria o corpo quase todo e no começo entrava apenas na piscina infantil para brincar com os sobrinhos.

Teve que quebrar seus próprios tabus. Quando perguntou a um professor de natação se era possível ter aulas com uma professora, ele respondeu que não mordia, que tinha mulher, filhos e que treinava várias mulheres. Mas as aulas eram caras.

Acabou por conhecer um treinador iraniano que, como ela, estava à espera do estatuto de refugiado. No primeiro dia de aula, o medo da água era tamanho que ela não conseguia entrar na piscina dos adultos. O professor a chamou uma, duas, três vezes até perder a paciência e ameaçar: ou ela entrava na piscina ou ele desistia. Gawhar venceu o medo e em duas semanas aprendeu a nadar.

Com a bicicleta foi mais fácil. Em apenas duas horas, já estava pedalando com confiança. Comprou um modelo dobrável e nestes dias de verão passeia na ciclovia que margeia o Neue Donau, o canal construído para conter as águas do rio Danúbio. É a praia da capital austríaca. Passeando de bicicleta, com a brisa a afagar o rosto, é mais fácil Gawhar acreditar que, dessa vez, está na direção do vento.

RAFI

Viena, Áustria, setembro de 2020

O filho pergunta sem parar por que eles não têm um carro. Rafi não tem dinheiro para atender o desejo do menino de seis anos. Também não é preciso ter um carro numa cidade como Viena, onde os transportes públicos funcionam tão bem. Esse é um desejo, não uma necessidade. Para que ter um carro para usar só no fim de semana?

Tem vezes que passa pela sua cabeça estudar numa universidade. Mas não pode se dar ao luxo de reduzir as horas de trabalho e de ganhar menos. Esse é um desejo eternamente adiado.

Tenta explicar ao filho a ordem de prioridades: a cidadania austríaca, um apartamento maior e depois podem pensar num carro.

Onze meses depois de fazer tudo o que era possível dentro dos trâmites legais, Rafi decide enviar uma carta às autoridades de Viena. Os austríacos estão acostumados a entrar com um pedido numa repartição pública e o processo seguir o seu curso. É difícil entenderem que nem todos os países funcionam assim. Com certeza não o Afeganistão.

Na carta, explica toda a situação e que não há o que possa fazer para obter o certificado de renúncia da nacionalidade afegã. Pede que abram uma exceção no seu caso. Eles precisam entender.

A ironia é que conhece muito bem as leis de imigração, de integração e da proteção de refugiados, e sabe que se tivesse conseguido o asilo como refugiado não precisaria abdicar da cidadania afegã e já teria a austríaca, sem mais burocracias.

Se não tivesse seguido o conselho do advogado da irmã, se tivesse recorrido na justiça, se não tivesse aceitado a proteção subsidiária, se não tivesse mudado seu estatuto para imigrante, se...

GAWHAR

Viena, Áustria, março de 2020

A notícia chegara três dias antes do início do primeiro lockdown. No dia 11 de março, a justiça austríaca concedia a Gawhar o status de refugiada. No dia 14, começava o confinamento devido ao Sars-CoV-2.

No início da pandemia de Covid-19, a bicicleta virou o meio de locomoção quando Gawhar precisava sair de casa. Assim evitava os transportes públicos e diminuía os riscos de contrair a doença.

Mesmo com o vírus à solta, Gawhar pedala e consegue sentir o vento, a liberdade.

Istambul, Turquia, junho de 2020

Gawhar precisa viajar para Istambul para abraçar o pai. Está há mais de quatro anos e meio sem vê-lo. A Turquia é o destino ideal, um dos poucos países que costumam dar vistos aos afegãos. E um de seus irmãos mora na capital turca.

A mãe ainda conseguira ir uma vez a Viena já que era funcionária da ONU em Cabul. Mas obter um visto para o pai entrar na Áustria seria impossível.

A pandemia provocara o atraso na chegada dos documentos de Gawhar, mas assim que recebeu oficialmente o estatuto de refugiada e o lockdown acabou, tirou um visto para a Turquia e foi reencontrar os pais.

Passaram duas semanas juntos na capital turca. O que mais queria era o aconchego dos pais, seus abraços.

RAFI

Viena, Áustria, janeiro de 2021

Os sucessivos lockdowns devidos à Covid-19 tornaram as corridas de Rafi pelo parque de Hauptallee ainda mais desejadas.

Mais do que deixar o corpo em forma, correr deixa sua cabeça em forma. Já era assim antes de a pandemia chegar. É o seu único momento de total liberdade.

Recebeu, no início do ano, a resposta à sua carta. As autoridades austríacas responsáveis lamentam, mas informam que ele terá que esperar até janeiro de 2022, fim do prazo oficial para enviar a documentação. Se até lá não houver recebido a confirmação de Cabul, prometem avaliar e tomar uma decisão sobre o seu caso.

Resolveu mandar outra carta, dessa vez, para o vice-prefeito de Viena. Ainda não recebeu a resposta.

*

Rafi já não se importa. Nessa corrida, fez tudo o que estava ao seu alcance. Como imigrante pode viajar se precisar, ainda que, com a pandemia, não vá a lado algum. Mas existe algo que o magoa e o perturba: não ter o direito de votar. Quer poder eleger os governantes desse país, quer poder influir no futuro da sociedade onde vive há vinte anos. Sente-se muitas vezes mais austríaco do que muitos austríacos.

Isso não significa que tenha esquecido o Afeganistão. Ao contrário, sente-se profundamente ligado ao país onde nasceu e cresceu, mas também tem um vínculo muito forte com a Áustria, um país democrático europeu, onde aprendeu que pode lutar pela democracia, pelos direitos humanos, pela igualdade entre homens e mulheres, pelos direitos das crianças. Mesmo que nunca mais possa ter uma dupla cidadania, sempre será cidadão dos dois países.

Agora só resta esperar. Quem sabe em onze meses não será um cidadão austríaco? Onze meses passam rápido para quem está há vinte anos à espera. Pelo menos daqui a onze meses terá uma decisão, uma definição, uma direção.

GAWHAR

Viena, Áustria, agosto-outubro de 2020

Nos últimos meses, Gawhar se tornou ainda mais ativa na luta pela emancipação das mulheres afegãs em Viena. Com o fim do primeiro lockdown, foi convidada para workshops e conferências de mulheres onde contou sobre a sua infância sob o regime Talibã e o dia a dia de uma estudante de uma escola clandestina de Cabul quando as meninas eram proibidas de ir à escola. Aos trinta anos, transformou-se no ídolo feminino da comunidade afegã na capital austríaca.

Tenta aceitar todos os convites. Divide seu tempo na organização de muitos desses eventos, mas também na busca por um emprego. Com o estatuto de refugiada, ela pode e precisa trabalhar. Manda currículos concorrendo a vagas. Telefona para a rede de contatos que fez ao longo dos anos sempre à procura de um emprego. Mas muitas vagas foram congeladas por causa da pandemia.

Está mais corajosa desde que começou o voluntariado na Associação Cultural Afegã de Viena. Gosta de trabalhar com Wali Mohammad Yusufzai, o ex-empresário de Cabul que rodopiou com uma vassoura quando fazia faxina num salão vienense. Sempre que pode acompanha a mulher dele ao hospital ajudando a traduzir o que o médico diz. Na associação aprendeu que os problemas dela são inexistentes se comparados aos de outros afegãos.

No verão, ajudou a organizar a conferência sobre o papel das mulheres para a paz no Afeganistão. Moderou debates diante de duzentas, trezentas pessoas. Sente-se confiante e é chamada para falar na televisão.

Outro dia no seu perfil nas redes sociais escreveu: "Confiem nas suas meninas, deixem elas confiarem em si próprias, deixem suas meninas sonharem".

Traiskirchen, Áustria, janeiro de 2021

Traiskirchen fica a uma hora e quinze minutos de trem de Viena. É uma pequena cidade que abriga o maior campo de refugiados da Áustria. Na realidade é a primeira parada para qualquer um que entre ilegalmente no país. Gawhar está de volta a Traiskirchen só que dessa vez para trabalhar.

Em maio de 2016, Gawhar passou duas ou três horas em Traiskirchen. Não pôde ficar porque chegou justamente na crise migratória que atingiu a Europa e teve seu pico em 2015, quando 1 milhão de imigrantes, sobretudo da Síria, chegaram ao continente. Não havia espaço no campo para mais ninguém.

Gawhar é uma das médicas da clínica que atende quem está no campo. A maioria dos pacientes ainda vem da Síria e dos países árabes. O segundo maior grupo de estrangeiros é do seu próprio país, o Afeganistão. Gawhar ajuda gente como ela que chega sem saber dos seus direitos, sem saber para qual direção seguir. Como fala três línguas além do alemão e do inglês, consegue se comunicar de maneira especial com quem chega. Quando começou a trabalhar no dia 31 de outubro, o campo tinha oitocentas pessoas. Hoje, não passam de 350. Mas ela e os colegas sabem que a Covid-19 pode segurar a migração, mas não impedir a chegada de mais refugiados quando as fronteiras reabrirem.

O trabalho é mais estressante por causa da pandemia. A clínica incluiu nos primeiros exames médicos o teste para detectar Covid-19. Quem tem o vírus é isolado e fica em quarentena. Ela faz testes duas vezes por semana, já que lida diariamente com pacientes infectados.

Gawhar não se importa de ouvir as histórias de quem chega. Mesmo que não tenham a ver com problemas de saúde. Eles precisam desabafar sobre a viagem, sobre suas vidas, sobre seus medos. São tantas histórias. Todos os dias conhece afegãos com quem pode falar na sua língua. Estão sem esperança, não têm ninguém que os ouça. Ela faz questão de dizer que eles não estão numa prisão. Eles têm direitos, devem estar cientes dos seus direitos, dos quais ela não sabia quando chegou. Pelo menos ela pode compartilhar a sua própria experiência, orientá-los, ajudá-los. Ela está mais próxima a eles do que seus colegas austríacos que encaram o trabalho apenas como mais um emprego, sem grande emoção ou envolvimento. Todo dia que ela ajuda alguém, mesmo que seja uma pequena ajuda, sente-se feliz porque fez alguém ganhar um pouco de esperança.

Não tem mais insônias. Sente-se forte, mais direta, diz o que está pensando ou sentindo sem se preocupar com o que os outros vão dizer ou pensar. Sente até que, se for preciso, é capaz de seguir sozinha. É independente.

Gawhar tem todos os motivos para estar feliz: conseguiu o estatuto de refugiada, tem um emprego, vive na cidade considerada campeã do mundo em qualidade de vida, é ativa na luta pelas mulheres. Mas ainda assim se sente confusa, estressada, sempre se perguntando o que vai acontecer com a sua vida.

Tango em Damasco e o sonho americano

GENA

Damasco, Síria, setembro de 2020

Quando a aula de dança começa, Gena abandona a realidade, esquece que não sabe o que fazer com sua vida e se deixa levar pelo ritmo do tango. Gena sabe que o segredo é seguir os movimentos do seu par. A mulher acompanha o homem. Mas só funciona se agir naturalmente, sem medo de errar; se pensar que tem que segui-lo, acaba atropelando os passos. O tango a transporta para outro mundo onde é mais fácil viver; deve apenas ouvir e sentir a música.

O desejo de aprender tango surgiu cinco anos antes quando ela assistiu *Perfume de mulher*, filme em que Al Pacino dança o clássico *Por una cabeza*, de Carlos Gardel e Alfredo Le Pera. Gena não tinha ideia de quem era Al Pacino nem Gardel, mas a imagem do casal deslizando pela pista não a largava mais. Depois de passar três meses isolada em casa por causa da Covid-19, ela resolveu se matricular no curso. Os donos da academia de dança são um casal sírio que morou na Argentina e trouxe o tango para Damasco.

Aos 27 anos, solteira, Gena dança com diferentes pares desde que começou com as aulas em agosto. A primeira reação da mãe foi de perplexidade. Tango? A filha teve que explicar que, quando se entra na pista, os dançarinos só querem se transformar em *tangueiros*. A única paixão é pelo ritmo. A mãe finge que acredita e respeita a vontade da filha de levar uma vida tão diferente da sua.

No filme que despertou sua paixão pelo ritmo argentino, o personagem de Al Pacino diz que no tango o medo de errar não existe. Se tropeçar, é só continuar.

Os cabelos negros compridos e encaracolados de Gena voam ao ritmo da música no grande salão do segundo andar de um prédio em Damasco. É o tango que lhe dá esta sensação de liberdade.

FALEEHA

Nova Jersey, Estados Unidos, dezembro de 2020

Os cabelos negros e encaracolados da filha fazem com que os americanos pensem que ela é de Porto Rico. Faleeha não se importa, contanto que a menina esteja em segurança e não sofra bullying. Não se arrepende de ter pedido que Zora deixasse de usar o hijab, evitando os olhares preconceituosos. São tantos porto-riquenhos vivendo no país, que fica mais fácil a filha ser aceita nos Estados Unidos.

Desde que a pandemia começou, é cada dia mais difícil conseguir dinheiro para pagar o aluguel e as despesas. Faleeha deu algumas aulas on-line, mas o mercado digital é muito competitivo. Na vida real, não há vagas para uma professora substituta de inglês como segunda língua.

A filha está ajudando desde que começou a trabalhar, há dois meses, numa das maiores lojas de departamentos do país.

Mas já avisaram que, em janeiro, vão fechar por causa da Covid-19. Zora, que, aos vinte anos, sonha em ser cirurgiã, está concorrendo a uma vaga de emprego na Amazon.

Faleeha se preocupa mais com o filho Ahmad, que joga tão bem futebol que atraiu a atenção, a inveja e o preconceito dos colegas da escola.

Desde 2015, os três têm a cidadania americana. Se as duas outras filhas vivessem nos Estados Unidos, seria mais fácil suportar o preconceito. Pelo menos a família estaria toda junta. Não sofreria mais com a dor da separação.

Sente o coração partido entre dois mundos. Sabe que o que deseja é impossível. E cada dia é pior que o outro.

DESEJO*

Gostaria de ir até você
Mas nossas ruas estão vermelhas
E eu tenho apenas
Um vestido branco.

GENA

Bagdá, Iraque, outubro de 2020

O ano da pandemia da Covid-19 foi também o ano em que Gena largou o ateliê de arquitetura onde trabalhava em Damasco para seguir a carreira solo. Apesar de a maioria dos habitantes de Damasco não ter se confinado, ela ficou em casa: precisava pensar, queria ficar sozinha. Não tinha ideia do que fazer com a sua vida.

* Poema original: "Wish", in *We grow up at the speed of War*. Carolina do Norte: Lulu.com, 2016 (trad. Mariana Correia Santos).

O seu sonho era estudar fora, morar em outro país onde não houvesse guerra, levar uma vida normal. Estudava inglês para tentar passar no teste que a permitirá entrar para uma universidade no exterior. Mas com a pandemia não pode viajar para o Líbano para prestar o exame. Queria viver nos Estados Unidos, até tentou se candidatar a uma bolsa de estudos da americana Fundação Fulbright, mas foi recusada por viver na Síria.

Na Síria é difícil conseguir clientes, não há dinheiro. Os primeiros e quase todos os projetos que tem são em Bagdá. Está passando um mês e meio no Iraque, onde trabalha doze horas por dia. Não sobra tempo para nada. Acaba de projetar uma pista de kart para crianças em um shopping na capital iraquiana. Precisou recusar outro grande projeto porque ainda não formou a própria equipe.

O dinheiro pode estar em Bagdá, mas Gena não consegue se adaptar ao estilo de vida da cidade. Uma mulher não pode andar sozinha na rua. Há um desfile de carros Mercedes-Benz e BMW, uma preocupação com a maquiagem, a roupa, uma vida superficial em que só a aparência conta. Não se identifica com nada.

Sente falta de poder andar com seu cachorro sozinha nas ruas, de ir às aulas de tango, de passear pelos lugares de que mais gosta no centro histórico de Damasco. Como sente falta de poder se sentar e observar o portão monumental do Khan Asad Pasha, onde os viajantes do século 18 que chegavam em caravanas se hospedavam, uma das construções mais impressionantes da era otomana.

Mas é a primeira vez que volta ao Iraque e não tem o pesadelo de sempre: aquele em que sobe ao terraço da casa a pedido do pai e dá de cara com um homem armado de capuz. Não acorda mais sobressaltada.

FALEEHA

Nova Jersey, Estados Unidos, novembro de 2020

Faleeha se recompõe, respira fundo e volta para dentro de casa para continuar a escrever suas memórias. No capítulo sobre os efeitos da guerra em seu irmão, é invadida por uma tristeza imensurável, precisa parar a escrita, sair, respirar, aliviar o estresse.

Resolveu que estava na hora de escrever um livro com as suas memórias para publicar nos Estados Unidos. Está escrevendo em árabe; depois verá como fará com a tradução para o inglês. Não adiantaria tentar publicar no Iraque, onde a sua história seria considerada banal; é como tentar vender água para um rio. A maioria dos iraquianos tem uma história semelhante para contar. Quem se interessaria em comprar e ler a própria história?

O capítulo do irmão desperta todo o tipo de emoção em Faleeha. Como escrever que a sobrinha tem câncer de pele e ficou cega e que o sobrinho nasceu com o coração do lado contrário do peito? Como falar sobre o resultado direto dos efeitos dos resíduos químicos que o irmão inalou durante os incêndios em poços de petróleo na Guerra do Golfo em 1991? Como detalhar os episódios de violência do irmão que só foram piorando de guerra em guerra?

Dessa vez quer que o livro seja publicado por uma editora, e não mais fruto de uma produção independente. Descobriu que um livro deve ter treze capítulos, pelo menos 260 páginas ou 800 mil palavras para ser publicado nos Estados Unidos. Tudo se resume a números na América.

GENA

Damasco, Síria, janeiro de 2021

Como todas as mães ao seu redor, a de Gena quer que ela se case e tenha filhos. Gena já se acostumou com a ladainha: você deveria se casar, você deveria ter filhos, você deveria ter um marido para cuidar, você já tem 27 anos...

Gena pergunta sem rodeios para a mãe, para as amigas da mãe, para as tias: Mas vocês são felizes fazendo tudo para os seus maridos e filhos e nada por vocês? Seus maridos saem para trabalhar, para ver os amigos, têm as suas ambições e objetivos. E vocês? A resposta é sempre a mesma: eu gostaria de poder trabalhar, de poder estudar, de viajar, mas... "Você deve se casar, Gena, porque ter filhos é o mais importante na vida."

Gena até gostaria de se casar e de ter filhos se fosse com alguém que a deixasse trabalhar e a deixasse seguir seus ideais. Não encontrou nenhum homem com quem quisesse passar o resto de sua vida. E agora dançando tango acha que vai ser ainda mais difícil. Mas ela não se importa.

Se tiver que escolher entre se casar e ser independente, Gena vai preferir ficar sozinha. As mulheres que conhece estranham a sua determinação em ter uma profissão, estranham que ainda não tenha se casado.

Mas a mulher que de fato importa está do seu lado. Gena sabe o quanto a mãe se esforça para entender as suas decisões, para aceitá-la. A mãe já lhe disse que se a filha casasse não poderia trabalhar tantas horas, fazer tantos projetos, viajar de um lado para o outro. Gena sabe o quanto é difícil para a mãe deixar de lado todas as tradições e todas as normas sociais. Cada vez mais admira a mãe, que respeita as suas atitudes e lhe dá a liberdade de seguir a direção que lhe faça mais feliz.

FALEEHA

Nova Jersey, Estados Unidos, dezembro de 2020

Se com a Covid-19 ficou mais difícil conseguir um emprego, ficou ainda mais complicado encontrar uma amiga. Os americanos têm pressa, mais do que antes. Não há comunicação possível com os vizinhos. Ninguém para. Quem quiser ser feliz deve ser criativo para inventar a própria felicidade.

Um raio de sol entra pela janela do pequeno apartamento do subúrbio de Nova Jersey quando Faleeha sorri exibindo orgulhosa o troféu Mulheres de Excelência que ganhou da revista *South Jersey Magazine*, na categoria inspiração.

Se tivesse dinheiro, moraria na Filadélfia. Quem sabe, se a filha conseguir uma vaga na faculdade de medicina da Universidade da Pensilvânia, Faleeha e os filhos possam se mudar? Mesmo sabendo que o preconceito não se evapora.

Mas a verdade é que, se tivesse um lugar para ir, nunca mais voltaria para os Estados Unidos. No Iraque, era uma professora respeitada com 24 anos de carreira, era uma escritora reconhecida com mais de quinze livros publicados. Tinha uma vida. O sonho americano não é o seu. Nunca foi.

GENA

Damasco, Síria, janeiro de 2021

Gena ainda pensa no pai. Às vezes sonha com ele. Mas com o passar dos anos se acostumou com a ideia de que ele partiu sem ela de fato o ter conhecido. Desejava saber mais, desejava ter tido a chance de lhe fazer perguntas. Mas talvez seja melhor não saber.

As irmãs e o irmão nunca conversam com ela nem com a mãe sobre o pai. Habituaram-se a não falar dele para evitar o sofrimento e esquecer. Talvez o tempo se encarregue de levar sua memória.

O pai de Gena bebia quase todas as noites quando estava junto da família. Ela lembra de o ver bêbado às vezes. Lembra também de se sentar no seu colo. Ele era sempre gentil. Nunca recusava um pedido seu, mesmo quando chegava exausto do trabalho.

O seu pai não era um homem de expressar sentimentos com palavras. Nunca dizia que a amava ou a chamava de querida. Mas nos únicos dias em que ficaram juntos em Damasco, depois de instalar a família na Síria e pouco antes de voltar para Bagdá, ele chamou Gena para se sentar ao seu lado e disse, pela primeira e única vez, que a amava.

"Você é uma menina muito especial, tem um futuro pela frente e eu te amo."

A fuga

BAKER

Arquipélago de Sulu, Filipinas, 4 de dezembro de 2013

Em algum momento no cativeiro, Baker não se recorda exatamente quando decidiu que iria viver a qualquer custo, fugiria e contaria sua história.

No dia 1º de dezembro de 2013, o líder que o sequestrara morreu. Com a sua morte, a segurança afrouxara. Estava na hora de fugir. A fuga estava sendo planejada havia meses. Baker começara a ensinar outro militante a aprender uma língua, dessa vez o inglês. Foram meses tentando convencê-lo a ajudá-lo a escapar.

Três dias depois da morte do militante, Baker conseguiria se libertar. A própria família que lhe dava de comer lhe mostrou o caminho. Durante quinze minutos andou sozinho pela selva até encontrar os filipinos que trabalhavam para o negociador que tentava mediar a sua libertação com os sequestradores havia um ano e meio.

Depois dos primeiros quinze minutos de caminhada, levou mais de três horas andando o mais rápido que podia para chegar à estrada principal, sempre descendo pela selva. Lembrou do caminho contrário quando havia sido sequestrado e levara umas seis horas para atingir o ponto mais alto.

Baker fez um mapa mental de todos os onze lugares e acampamentos onde viveu durante aquele ano e meio. Sem papel nem caneta, memorizou tudo. Descobriu que a memória pode ser excepcional quando precisamos dela. Sempre acompanhou as posições do sol para memorizar os locais, estava tudo na sua cabeça. Depois, em liberdade, iria conferir tudo no Google Earth.

Manila, Filipinas, dezembro de 2013-dezembro de 2014

Quando se olhou no espelho pela primeira vez, ele não se reconheceu. Baker estava 35 quilos mais magro. Mas não eram só os quilos que perdera. Demoraria um ano e meio para se recompor.

Até o simples ato de abrir uma mala de viagem parecia complicado. Era como abrir as memórias de tudo o que tinha perdido.

Na cabeça de Baker, era como se o mundo tivesse parado em 12 de junho de 2012, o dia do sequestro, e ele voltasse imediatamente no dia seguinte. Era como se houvesse morrido e ressuscitado. Era como se não fosse a sua vida. Era como se estivesse em outro mundo. Mas haviam se passado dezoito meses.

O corpo mudara. O mundo mudara. O que era este tal de Daesh ou Estado Islâmico? Não fazia a menor ideia. O presidente Barack Obama havia sido reeleito. Mahmoud Ahmadinejad não era mais o presidente do Irã, que agora era liderado por um tal de Hassan Rohani, e houvera um golpe no Egito, que tinha um novo presidente chamado Al-Sisi. Quem era esse Al-Sisi? Queria saber tudo depressa. Reaprender o mundo.

Foi para a Jordânia, onde não ficou nem um mês, depois para Dubai, foi então ver os amigos no Paquistão, depois voltou para Dubai, onde a terapeuta que acompanhava a sua recuperação disse que bastava, que ele não podia continuar viajando de um lado para o outro como se estivesse em fuga.

Sentira tanta falta de ter uma vida produtiva, trabalhar, ir à academia, tudo o que parecia normal, mas havia deixado de ser.

Entrou com uma queixa na polícia filipina contra o jornalista, que tem a certeza de que o entregou aos militantes do Abu Sayyaf, mas nada aconteceu.

É difícil definir prioridades, Baker queria recuperar tudo o que havia perdido. Queria voltar a trabalhar imediatamente, mas seus chefes não deixaram. Ficaria de licença durante um ano. O tempo mostraria a Baker que fora a decisão acertada.

Islamabad, Paquistão, março de 2019

A quantidade de *checkpoints* e de militares armados ou os detectores de metal nas entradas dos hotéis e nos centros comerciais das grandes cidades paquistanesas pode assustar um estrangeiro que visite Islamabad, mas não o jordaniano de origem palestina, Baker Atyani.

Baker ainda se recuperava do sequestro e não vivia mais no Paquistão no dia em que o massacre numa escola redefiniu a guerra contra o terror no país.

Às dez da manhã do dia 16 de dezembro de 2014, militantes estrangeiros do Talibã paquistanês invadiam uma escola do Exército na cidade de Peshawar, quase na fronteira com o Afeganistão, e foram de sala em sala atirando em quem encontrassem pela frente. Cento e trinta e duas crianças morreram.

Baker estava vivendo na Europa, a maior parte do tempo em Londres, quando o Paquistão criou um plano de ação nacional, reinstaurou a pena de morte e os tribunais militares, fez novas leis contra crimes cibernéticos e renovou a obrigatoriedade de registro de refugiados afegãos, entre outras medidas. As operações militares foram ferozes com o objetivo de matar os militantes, erradicar suas redes e destruir seus refúgios nas áreas tribais do país.

Em março de 2019, Baker andava pelas ruas sem pensar que poderia acontecer um ataque a qualquer momento, completamente diferente da realidade que viveu entre 2007 e 2009, quando ocorriam até dois atentados por dia e o Paquistão esteve à beira do colapso, prestes a virar um novo Afeganistão. É extraordinária a mudança.

Quanto a ele hoje, vive sempre em trânsito, entre as cidades: Islamabad, Dubai, Amã e Londres. Nenhum lugar o contém. O aniversário, comemora duas vezes por ano. No dia 16 de outubro, quando nasceu, e no dia 4 de dezembro, quando fugiu do cativeiro.

Se há algum outro dia marcante é aquele de junho de 2001 quando, no meio da sala, um homem muito alto, vestido com a thawb, a túnica árabe, e um turbante na cabeça, lhe deu boas-vindas e o abraçou e Baker pôde sentir o ombro dele tocando o seu.

Aposentadoria, reintegração

EHSAN UL-HAQ

Paris, maio de 2011

Quando o general Ehsan Ul-Haq entrou no Salão Napoleão, no luxuoso hotel Four Seasons George V, a poucos metros da Champs-Élysées, teve a impressão de que havia umas cem câmeras de televisão apontadas para ele.

Desde que se aposentara em 2007, era convidado a participar de palestras na Europa e nos Estados Unidos, mas era a primeira vez que um general paquistanês falaria em Paris depois da captura e morte de Osama bin Laden pelas forças especiais americanas, em Abbottabad, a uma hora da capital paquistanesa. Uma operação unilateral sem o conhecimento das autoridades do Paquistão.

O general nem esperou as perguntas e já disse: "Como ex-diretor de inteligência do ISI, estou envergonhado do nosso fracasso em localizar Osama bin Laden e em interceptar os americanos entrando em nossas fronteiras. Como os americanos fizeram essa operação sem nos avisar?".

Os jornalistas insistiam na pergunta que se repetia nos canais de televisão nos dias que se seguiram à morte do líder da

Al-Qaeda: Como foi possível que Osama bin Laden estivesse tão perto da cidade onde fica a Academia Militar do Exército sem que a inteligência paquistanesa soubesse?

"Qualquer um que trabalha em inteligência sabe que é possível", respondeu o general. "Alguém publicou que Bin Laden estava a apenas 75 quilômetros de Islamabad, mas vocês lembram quando prendemos Khalid Sheik Mohammed [considerado o arquiteto do Onze de Setembro]? Ele estava a um quilômetro da sede do Exército. A questão não é essa, a questão é que os americanos decidiram não compartilhar informações de inteligência com o Paquistão."

"Lembro de mais de cem vezes em que os americanos nos passaram informação e as operações foram um sucesso. E foi através das informações obtidas pelos integrantes da Al-Qaeda que os americanos conseguiram chegar a Bin Laden. Nunca fizemos nenhum acordo, como está sendo divulgado, que, se um de nós tivesse informação sobre o paradeiro de Osama bin Laden, agiríamos sozinhos. Os paquistaneses estão perplexos, como um país amigo e nosso parceiro estratégico viola a nossa soberania e a nossa integridade territorial? Desafio que me digam quando compartilhamos informação e vazamos."

Dez anos depois do Onze de Setembro, o corpo de Osama bin Laden seria jogado no mar pelos americanos. Era o ápice na gangorra de desconfiança que permeava a relação entre americanos e paquistaneses.

AHMER

Mingora, vale do Swat, Paquistão, 2013

Não há quase luz nos aposentos. A casa tem poucas janelas. A umidade parece impregnar o ar. O único som que se ouve é o do galo cantando. É aqui que Ahmer vai viver pelos próximos quatro anos.

Todos os jovens que chegam ao centro de monitoramento em Mingora, uma das principais cidades do vale do Swat, são considerados de alto risco. Depois da formatura em Sabaoon, um grupo de assistentes sociais e psicólogos acompanha a reinserção deles na sociedade. É como se partissem do zero. Cada assistente fica responsável por um grupo de jovens. Cada jovem permanece sendo tratado e acompanhado individualmente. É um trabalho que leva de quatro a cinco anos até os psicólogos terem certeza de que não há qualquer risco de o rapaz ter uma recaída e voltar à militância.

Há muitos riscos na volta para casa: aldeias consideradas vulneráveis com a presença de militantes; famílias que ainda estão ligadas ao Talibã; parentes extremistas que fugiram para o Afeganistão e atravessam a fronteira para visitar a família; pais que não querem os filhos porque suas casas foram destruídas pelo Exército por causa da militância dos meninos e o estigma, esse o maior desafio que os jovens devem enfrentar. O acompanhamento é essencial para que a recuperação em Sabaoon não tenha sido em vão e os jovens consigam reconstruir suas vidas.

A maioria vai para as casas dos parentes. Poucos são os que permanecem no centro, financiado pela sociedade civil através da ONG liderada pela psicóloga Feriha Peracha. Ahmer é um deles. A sua aldeia está numa área considerada vulnerável. Há uma pessoa em sua comunidade que tem ligação com um dos homens que apoiaram as suas atividades quando estava com os talibãs.

Os psicólogos não querem arriscar. Sabem que, no início da reintegração, os jovens vão precisar de uns quatro a cinco meses para de fato dizerem o que estão sentindo nessa nova fase.

Acham que Ahmer ainda não está maduro o suficiente para enfrentar essa situação.

Ahmer tem agora quase dezoito anos. Mais uma vez, precisa de tempo.

EHSAN UL-HAQ

Islamabad, Paquistão, março de 2019

Já é possível mandar os filhos para a escola sem ter medo de nunca mais vê-los. Entre as estatísticas que Ehsan repete em suas palestras, uma das mais citadas é a da queda de 90% do número das vítimas de terrorismo nos últimos nove anos: De 11 600, em 2009, para pouco menos de setecentos, em 2018.

Ehsan Ul-Haq sabe que os números não revelam tudo e que a batalha não está vencida. Mas a ameaça não se compara ao que o país enfrentou nos anos que se seguiram ao Onze de Setembro. Os paquistaneses sofreram tanto nas mãos dos militantes que a mentalidade mudou. As imagens da jovem do vale do Swat sendo chicoteada em praça pública pelo Talibã, em 2009, provocou ondas de choque em todo o Paquistão. Em um ano e meio, os militantes atacaram e destruíram duzentas escolas da região. A praça pública de Mingora era cenário de decapitações quase diárias. Se um menino de dez anos começasse a simpatizar com os extremistas, o pai não falaria nada; hoje um pai não ficaria indiferente. A cerca que começou a ser construída é mais um obstáculo na extensa fronteira entre o Paquistão e o Afeganistão. Se antes cem militantes conseguiam passar, hoje talvez passem dez, calcula Ehsan.

O general aposentado não se ilude. Se o país não se desenvolver, se 2 milhões de empregos não forem criados, se não houver depressa uma política de crescimento econômico, educação em massa, o Paquistão continuará à mercê do extremismo.

Mas para qualquer direção que olhe, o general paquistanês vê um mundo mais radicalizado, a islamofobia cada vez mais em alta e os supremacistas extremistas brancos cada vez mais ativos e com mais seguidores. Para ele, o resultado direto do Onze de Setembro e de duas décadas das políticas equivocadas adotadas pelos Estados Unidos.

AHMER

Mingora, vale do Swat, Paquistão, 2014

Ahmer ainda pensou em não cursar a faculdade, mas acabou incentivado por todos os que o acompanham no centro a ingressar na universidade.

O maior erro da sua vida, ter acreditado e seguido os talibãs, poderia ter sido evitado se ele tivesse conhecimento, se tivesse estudado, entendesse o que é uma sociedade. Tanto tempo perdido. Não quer perder mais tempo. Decide estudar sociologia e direito.

O centro de monitoramento paga seus estudos, lhe dá uma mesada, orienta-o a conseguir um trabalho enquanto estuda. Incentiva a que participe de atividades culturais. É assim com todos os meninos. Muitos fazem mais cursos profissionalizantes. A ONG que gere o centro ajuda os jovens que desejam abrir uma loja. Paga tudo até eles conseguirem se sustentar com o próprio trabalho.

Os sete assistentes sociais, especialistas em saúde mental, percorrem as aldeias do vale do Swat e das áreas tribais. São todos homens. Não há mulheres percorrendo essa região de costumes tradicionais muito arraigados. É um trabalho que começa às nove da manhã e muitas vezes só termina às dez da noite. Visitam os parentes para saber como está a reintegração do filho, como é a relação com o pai, com a mãe e com os irmãos, qual é a sua rotina etc. Conversam com o jovem, com os anciãos da aldeia, entrevistam os amigos. Preocupam-se com o envolvimento dele com drogas. Aos poucos e durante anos vão desenvolvendo uma relação de confiança com todos. Fazem relatórios individualizados periódicos que compartilham com as psicólogas Raafia e Feriha Peracha sobre a evolução da reintegração de cada jovem. Também têm reuniões com os militares, caso haja informações sensíveis que representem uma ameaça à segurança.

A equipe está sempre pronta para receber chamadas de emergência dos jovens se eles estiverem enfrentando um problema ou uma ameaça na sua aldeia. São em média quinze pedidos por mês.

Ahmer tem que se apresentar uma vez por semana ao Exército. É assim com todos os meninos durante o primeiro ano de reintegração.

EHSAN UL-HAQ

Islamabad, Paquistão, dezembro de 2019

O maior erro que os Estados Unidos cometeram? Terem tratado o Talibã como inimigo. O general é categórico: não foi o Talibã o responsável pelos atentados de Onze de Setembro, eles não eram os inimigos dos americanos. Foram os americanos que vieram e que ocuparam o Afeganistão.

A gargalhada do general ecoa pela sala de estar de sua casa nos arredores de Islamabad. "Sejamos sinceros, o Talibã nunca será pior do que Dostum, que é vice-presidente do Afeganistão, nem no modo como trata as mulheres nem em relação aos crimes de guerra que cometeu."

O general Abdul Rashid Dostum* foi um dos principais aliados dos americanos contra os talibãs. Um dos maiores senhores de guerra do Afeganistão é acusado pela comunidade internacional de diversas violações de direitos humanos. Entre as principais acusações: abuso sexual, espancamento de um rival político e o massacre de 2 mil prisioneiros talibãs asfixiados trancados dentro de contêineres.

"Os americanos dizem que apoiávamos os bons talibãs e combatíamos os maus talibãs. E no Afeganistão, o que eles faziam? Quem os apoiava eram os bons afegãos e quem não os apoiava eram os maus afegãos?"**

AHMER

Vale do Swat, Paquistão, 2016

O que Ahmer mais temia, um dia aconteceu. Eles o encontraram, o sequestraram quando estava a caminho da universidade. Os assistentes sociais deram o alerta às forças de segurança do Exército. Os terroristas o libertaram quando perceberam o aumento da presença militar. Ele não diz o que aconteceu nas três horas em que esteve em poder dos militantes do Talibã. O trauma o fez largar a faculdade. Passaria um tempo até ter coragem para retomar os estudos.

* Atualmente, Abdul Rashid Dostum não é mais o vice-presidente, mas ganhou, em 2020, o título de marechal, a mais alta patente da hierarquia militar.

** Militantes que não atacavam o exército paquistanês eram considerados "os bons talibãs", e os que atacavam os militares paquistaneses, considerados os "maus talibãs".

EHSAN UL-HAQ

Islamabad, Paquistão, março de 2019

Se o Onze de Setembro não tivesse acontecido, talvez até tivesse sido nomeado mais tarde para o cargo de chefe da inteligência, mas os desafios teriam sido completamente diferentes. Seriam mais ligados ao trabalho tradicional dos militares, aos problemas com a Índia, e não às áreas tribais ou aos atentados por todo o país.

O general Ehsan Ul-Haq lembra os dias pós-Onze de Setembro em que os americanos falavam num tom como se tivessem feito um grande favor ao Paquistão. Lamenta admitir que estavam certos os que diziam para não confiar nos Estados Unidos. O Paquistão não deveria ter se lançado na Guerra ao Terror sem garantias de que os seus interesses seriam preservados.

Cinco milhões de refugiados afegãos, 70 mil mortos, 130 bilhões de dólares perdidos, incluindo a destruição da infraestrutura do país, milhões de famílias paquistanesas deslocadas e em fuga dentro do próprio país. Perda de investimento, de turismo, de negócios. E os americanos nunca pensaram nos mortos paquistaneses. Nunca reconheceram o sacrifício paquistanês. A única exceção foi a então secretária de Estado Hillary Clinton numa audiência na Câmara dos Deputados, em outubro de 2011, dez anos depois do Onze de Setembro.

A imprensa e a opinião pública americanas pararam para pensar que se o Paquistão fez jogo duplo, se ajudava o Talibã afegão, por que os militantes atacavam militares, policiais, espiões e civis paquistaneses? Que país faz um jogo duplo para amargar 70 mil mortes? Será que os americanos estão loucos? Ele gostaria de uma resposta.

Quando se trata de Estados Unidos, você deve dar tudo, e mesmo assim eles tiram tudo. Para usar uma expressão tipicamente americana: Não existe *free lunch*. Não há mesmo almoços grátis.

AHMER

Vale do Swat, Paquistão, 2018-19

Ahmer trocou de universidade e voltou a estudar. Durante todo o curso, trabalhou. Ensinava computação numa escola. Em 2018, formou-se em sociologia, mas, como a maioria dos estudantes da região, sabe que o diploma não é garantia de trabalho. Agora está desempregado. Os assistentes sociais lhe ensinam a como se candidatar a um emprego nos sites especializados.

Ahmer ficou noivo e, juntos, ele e a noiva dão aulas para crianças da sua aldeia. Mas o que Ahmer sonha mesmo é ter uma loja, seu próprio negócio de material de construção. Os materiais estão sempre em demanda, pois todos precisam de uma casa.

Quando Feriha Peracha percorre as ruas de Mingora nem reconhece que é a mesma cidade a que, em 2009, veio para fazer a avaliação daqueles doze meninos capturados pelo Exército. Há dez anos, não havia nem uma loja à qual as mulheres pudessem ir. Hoje, até designers da cosmopolita Lahore estão por lá.

O Paquistão mudou. O vale do Swat mudou. É só olhar para o número de lojas, de hotéis e de restaurantes que agora estão abertos em Mingora. Na praça em que o Talibã exibia corpos decapitados, hoje circulam centenas de pessoas com sacolas de compras e um policial tenta controlar o intenso tráfego.

Uma vez por ano ela se reúne, durante três dias, com toda a equipe do centro para avaliar quem já não representa alto risco e quem já pode deixar de ser monitorado. A desradicalização é um trabalho lento. Dos 227 jovens das onze turmas que se formaram em Sabaoon, 39 meninos já estão completamente reintegrados e não são mais acompanhados. Sessenta e um são ainda considerados de alto risco. Apenas cinco tiveram que voltar para mais um período em Sabaoon. Os outros que ainda estão sendo monitorados são considerados de baixo e médio risco. Nenhum dos estudantes de Sabaoon voltou à militância. Feriha sabe que não são apenas 227 jovens, mas 227 famílias, 227 comunidades.

Mesmo assim, ela acha que sua contribuição poderia ter sido maior se tivesse acordado mais cedo para o problema. Sente-se velha demais para fazer o que ainda é preciso. Estima que 20 mil crianças dessa região sejam vulneráveis, não por terem simpatia pelos militantes, mas por serem muito pobres, não apresentarem qualquer instrução ou pensamento crítico. A maioria não consegue compreender nem o primeiro verso do Alcorão. A taxa de abandono escolar ronda os 72%.

Os assistentes sociais sabem dos riscos que correm quando vão às aldeias remotas do vale onde não há a presença de forças de segurança do Exército. Nesses casos, vão armados para se proteger. Todos já sofreram ameaças dos talibãs. Sentem medo, mas não querem parar de trabalhar. Os parentes dos jovens dizem que os filhos obedecem mais a eles do que aos próprios pais.

Na sala sem janelas, bebericando chá, os jovens assistentes sorriem quando afirmam que não podem desistir. Alguns são tão jovens como os rapazes que devem acompanhar. Outros nunca imaginaram que o terror se instalaria tão perto e seria capaz de afetá-los tanto. Grande parte da juventude do vale se envolveu com os extremistas. Eles não sabiam o que era certo e errado, agora sabem. "Tudo começou depois do Onze de Setembro e da Guerra ao Terror", afirmam em uníssono.

Ninguém aceitaria trabalhar nas condições em que eles trabalham. Mas não é por isso que não podem parar. O país e o mundo precisam deles. Esses jovens precisam deles. Lá fora o galo ainda não parou de cantar.

Ahmer nunca deixa de rezar cinco vezes ao dia. Os militantes não abalaram a sua fé. Os psicólogos consideram que, em breve, ele estará completamente reintegrado e não precisará mais de acompanhamento.

Faz dez anos que se entregou na mesquita. Aos 23 anos, Ahmer exibe seu sorriso largo quando chega ao hotel em Mingora para a conversa com a jornalista brasileira.

Sentam-se na varanda. Faz muito frio. Enquanto toma o seu chá, Ahmer conta que se casou há apenas três dias.

"Mas por que você largou a sua mulher para fazer essa entrevista?"

Ahmer solta uma gargalhada:

"É importante para mim falar com você para mostrar a eles a realidade. Você vai resumir o que estou falando para muita gente que tem poder — pode ser um professor, um comandante, um primeiro-ministro. Quem se senta na Casa Branca e no Pentágono não sabe. Deveriam vir aqui para ver a realidade."

Para onde o vento sopra

Depois dos encontros e das entrevistas que resultaram neste livro, as pessoas cujas histórias estão sendo contadas aqui ganham voz em primeira pessoa.

RAFI

Viena, Áustria, dezembro de 2019-fevereiro de 2021

Trabalho há doze anos num órgão do governo fundado para ajudar os imigrantes. Explico aos refugiados como se adaptar a uma sociedade que é diferente da nossa, com outros valores culturais. E até hoje sou um imigrante.

Muitos austríacos me chamam de turco ou de árabe, não sabem a diferença, nos colocam todos no mesmo saco. Mas se estiverem falando com um francês, um espanhol ou com alguém de outra nacionalidade europeia, fazem questão de distinguir.

A Áustria está dividida em três: os que odeiam os estrangeiros, os refugiados e os imigrantes como eu. Há os que são indiferentes, que não nos defendem, mas também não nos atacam, e os que lutam por nossos direitos mais do que nós mesmos. Enquanto esta divisão se mantiver, tudo bem. Mas se os indiferentes passarem a odiar os estrangeiros...

Quem sabe eu terei a cidadania austríaca assim como a minha mulher e o meu filho, que nasceu aqui na Áustria. Fui obrigado a abdicar da cidadania afegã. Como me sinto? Vou voltar ao meu país? E meu filho, como se sentirá?

Se a segurança melhorar lá, quero voltar com meu filho, viajar de norte a sul, mostrar a ele as montanhas mais altas e a beleza de cada canto do país que nem eu mesmo conheço de todo. Nunca vou deixar de pensar no Afeganistão, um país com tanta história, tanta tradição, tanta riqueza natural. Você sabe que somos tão ricos em lítio quanto os países do Golfo Pérsico são em petróleo?

*Não é justo Rumsfeld e Bush estarem vivos e livres e meu país estar desse jeito.**

Sabe qual é a moda agora? Em vez de atentados suicidas, os terroristas colocam bombas nos carros de figuras públicas, de jornalistas talentosos, de gente jovem e os matam acionando o controle remoto. Um antigo jornalista que tinha entrevistado vários warlords *— os senhores da guerra, comandantes de grupos que cada vez têm mais poder por causa do dinheiro americano — foi assassinado assim. Os crimes nunca são julgados. Os assassinos nunca são presos. Não há justiça, apenas impunidade.*

Sabe qual é o meu maior desejo? É que as pessoas pensassem por si mesmas, chegassem às próprias conclusões e não fossem teleguiadas pelo que falam os políticos, os líderes religiosos, este ou aquele grupo. Teríamos menos abusos, menos violência, mais consideração pelo outro, mais amor e mais chance de tornar o mundo um lugar bom de se viver.

* Donald Rumsfeld era o secretário de defesa dos Estados Unidos durante o governo de George W. Bush e considerado o grande arquiteto da Guerra ao Terror. Faleceu em 29 de junho de 2021.

Se os afegãos puderem, um dia, decidir por eles mesmos o destino do seu país... Tenho certeza de que, em poucos anos, transformaríamos o Afeganistão num país próspero como estes do Golfo Pérsico. Mas criminosos sanguinários e políticos corruptos transformaram esse lindo lugar num inferno.

O que acontece no Afeganistão me afeta e me atinge há trinta anos, desde que eu comecei a entender o que se passava ao meu redor. Eu gostaria de ter esperança de que a situação vai melhorar; me considero um otimista, mas os políticos no governo, todos os anos, mostram a sua verdadeira face. Mostram quão corruptos são. Quem está na oposição também só pensa em se beneficiar. Os políticos não pensam no povo, não pensam no futuro do país. Mas se eu perder a esperança, perco também a vontade de viver.

Quando eu era jovem, estava assistindo na CNN a uma reportagem sobre um pequeno país. A ONU, os Estados Unidos, a Grã-Bretanha queriam paz para o Timor Leste e aconteceu. Agora no Afeganistão, na Palestina, na Caxemira, na Síria, no Iraque, não acontece. Veja só Aleppo, na Síria, uma cidade com uma cultura milenar, será que são as pessoas que são tão violentas e sanguinárias ou não depende delas na verdade? Será que é porque somos muçulmanos? Por isso é que não é possível?

Mais de quarenta anos de guerras. O Afeganistão é vítima de um jogo político. Se os grandes jogadores quisessem, a paz aconteceria. Quando eles decidirem levar a paz para o Afeganistão aí será possível. Nós já fomos levados para tantas guerras e tanta violência que, se trouxessem a paz, nós iríamos seguir nessa direção.

GAWHAR

Viena, dezembro de 2019-janeiro de 2021

Passei a noite pensando no que você me perguntou. Nunca tinha associado o Onze de Setembro ao que aconteceu na minha vida. Mas está tudo relacionado. Fiquei horas na cama acordada. Revivi cada momento. Tudo mudou para pior. Minha família está separada. Uma das minhas irmãs aqui em Viena, outra na Bélgica, um irmão na Turquia, o outro na Índia e meu irmão mais velho e meus pais em Cabul. Nunca mais estivemos todos juntos. Mesmo com emprego, com meu status de refugiada, mesmo com tudo isso meus sentimentos são amargos e nada positivos. Não consigo me livrar dessa sensação de confusão mental desde que saí do meu país. E é assim para milhares de afegãos. Minha vida teria sido outra se não fosse o Onze de Setembro.

Em 2001, éramos refugiados no Paquistão, levávamos uma vida normal, minha mãe trabalhava, estávamos matriculados na escola. Não sei se o Paquistão era bom ou não, mas tínhamos uma vida estável. Não teríamos voltado para Cabul acreditando na promessa de que tudo ia mudar. Eu era uma criança, teria me adaptado cada vez mais, agora é muito mais difícil chegar a outro país quando se é adulto. Quando se é criança, a gente nem pensa sobre isso. Havia muitos afegãos no Paquistão, a cultura era parecida.

Depois da ocupação dos americanos, depois do Onze de Setembro, acreditamos numa falsa esperança. Era tudo falso. Mas nós, afegãos, acreditamos no que os americanos disseram, que a situação ia melhorar, e voltamos de vários países para viver no Afeganistão. E olha o que aconteceu. Milhares perderam seus parentes, famílias inteiras morreram em atentados suicidas. O Talibã estava no poder, é verdade, tínhamos problemas, mas eram completamente diferentes dos problemas que o país enfrenta hoje. Agora, todo mundo teme pela sua vida. Toda vez que você sai de casa não sabe se vai voltar vivo.

Quase vinte anos depois, a situação é muito pior do que em 2001. Os americanos traíram o povo afegão. Eles fizeram lobby com as nossas vidas por seus próprios interesses políticos. Ontem à noite eu estava na cama, não conseguia dormir, e pensava em tudo isso.

Foi duro o que aconteceu, eles perderem quase 3 mil pessoas no Onze de Setembro. Mas quantos já morreram no Afeganistão? São milhares, dezenas de milhares de vítimas. A cada atentado, duzentas, trezentas pessoas morrem e ninguém liga. É uma notícia na televisão, quinze minutos de atenção nos noticiários e depois todo o mundo esquece o que está acontecendo. Os políticos convocam conferências de imprensa de cinco minutos lamentando a morte dos civis, falam que é inaceitável. E nada muda. Vemos cada vez mais notícias de que o Talibã ou o Estado Islâmico assumiu a autoria dos ataques suicidas. Antes não tínhamos terroristas do Estado Islâmico no Afeganistão. É o resultado direto da ocupação de tropas americanas depois do Onze de Setembro.

Se um dia eu vou voltar? Se a situação no Afeganistão vai melhorar? Não, não na minha geração. Não vai acontecer. Quem não se sente mal vendo o seu país, o lugar onde você nasceu, nesse estado?

Tento não esperar nada de ninguém. Tento não ter expectativas para não me decepcionar. Por outro lado, tudo o que enfrentei me faz sentir que estou mais madura. Quando me comparo com uma europeia da mesma idade, parece que sou mãe dela.

Duas noites atrás eu trabalhava no turno da noite e um rapaz de uns catorze anos estava sozinho jogando pebolim na sala de jogos do campo. Eu me aproximei e perguntei com quem ele viera, se tinha algum parente na Áustria. Ele me contou que naquela noite, naquele momento em que estávamos falando, a família estava nas mãos dos traficantes tentando entrar na Áustria. Ele e a irmã haviam se separado do resto da família, há seis meses, e tinham chegado primeiro. Naquela noite, o restante da família estava saindo da Sérvia em direção à Áustria e ele não sabia se haviam conseguido chegar ao país ou se tinham sido presos pela polícia. Eu tentei distraí-lo. Ele só tem catorze anos. Todos os dias, no meu trabalho, ouço histórias como essa.

Esqueci de dizer que meu namorado me pediu em casamento.

Vamos nos casar em julho na Turquia para que nossas famílias possam ir à festa. Doze anos de namoro secreto ou longe um do outro. Namoramos escondidos no Afeganistão e depois, nesses últimos quatro anos, ele morando nos Estados Unidos e eu na Áustria. Só nos víamos uma ou duas vezes por ano quando ele conseguia vir para Viena.

Não decidimos ainda onde vamos morar. Só faz sentindo nos casarmos se for para morarmos juntos. Depois de lutar tanto para conseguir o estatuto de refugiada, ter um emprego e a possibilidade de fazer uma especialização na área que eu quero — dermatologia — é difícil pensar em sair da Áustria. No entanto, não quero ser egoísta, ele teria que aprender alemão para conseguir um emprego. Começar do zero.

Agora que estou organizando o casamento à distância, compartilhando os planos com toda a minha família, eu fico, ao mesmo tempo, feliz e zangada comigo mesma. Por que eu não pude fazer isso antes? Por que não enfrentei a minha família, por que não conseguia falar com os meus pais como falo agora? Por que foram necessários doze anos para que eu conseguisse dizer o que realmente eu quero? Foi um desperdício de tempo.

Meu noivo diz que eu exijo muito de mim mesma e que é por isso que fico nervosa e com essa sensação de desconforto. Acho que essa sensação nunca vai desaparecer. Começou quando saí de Cabul e vai ficar comigo para sempre. Uma parte de mim ficou no meu país. Eu não me sinto em casa aqui. É como se estivesse numa pensão. Não é o meu lugar. Quem sabe um dia vou esquecer o que aconteceu e me sentir em casa? Ainda me lembro do cheiro de casa, da casa dos meus pais em Cabul. [Gawhar ri, um riso nervoso.]

Era um cheiro de amor. Cheirava a felicidade, a generosidade. Era amor.

FALEEHA

Nova Jersey, Estados Unidos, novembro de 2019-dezembro de 2020

Sofro de insônia desde que fugi do Iraque. Só consigo dormir duas ou três horas, acordo no meio da madrugada. Tenho medo de que algo aconteça com os meus filhos. Fui a primeira e única da minha família a fugir do Iraque. Nunca quis sair do meu país, e quando me perguntaram onde eu queria me refugiar, respondi: um lugar seguro para as crianças. Não escolhi viver nos Estados Unidos. Fui forçada a vir. A guerra me forçou. Para mim, o American Dream é um pesadelo.

O que eu diria para alguém que acha que quem foge do seu país em guerra é covarde? Eu gostaria que essa pessoa estivesse na minha pele, que vivesse na situação em que eu estou antes de falar em covardia.

A minha melhor amiga teve a casa bombardeada no Iraque. Morreu junto com a mãe e o marido. Ela era rica. Mas precisaram enterrar os corpos por quarenta dias no jardim por causa da guerra. Ninguém podia sair de casa para enterrar seus mortos.

Eu não gostava de Saddam Hussein, mas a ocupação foi muito pior. Tinha dois empregos para me sustentar na época dele, precisamos encarar a falta de comida. Mas depois dele, veio alguém pior. Por que a gente não pode ter um bom presidente ou um rei, como a Suécia?

É por isso que eu escrevo sobre a guerra. Não há paz na minha vida. Só guerra, guerra, guerra, guerra, guerra ou pior ou exílio ou nada.

Você tenta fazer parte de uma sociedade, de uma cultura, que não é sua. Você se esforça muito para isso. Aprende uma língua estrangeira, começa a escrever numa língua que não é natural para você, tenta ser poeta numa língua que não é a sua. É difícil fazer amigos.

Se existisse a tal da varinha mágica, não ia querer mudar a vida de todo mundo não. Só a minha, bastava. Não desejaria ser rica nem ser uma supermulher. Só gostaria de um momento de paz.

Anseio por esse instante mágico. Às vezes sonho, acho que isso tudo é um sonho. Por favor, alguém me acorde porque eu não gosto do que está acontecendo na minha vida, me acorde e me diga que não passou de um sonho ruim. Quero apenas um momento para sorrir, para ser feliz. Preciso da minha casa. Eu, todos nós precisamos do Iraque.

Sonhei com o Louis Aragon. Você o conhece? O poeta francês de Os olhos de Elsa. *Tão lindo* Os olhos de Elsa, *você já leu? No sonho, eu entrava numa livraria e pedia o livro do Aragon. A vendedora dizia que tinha uma caixa para mim. Eu abria a caixa e lá dentro havia uma caneta, uma caneta para eu escrever a nossa história, a história do Iraque.*

GENA

Damasco, Síria, 2019-20

Eu não quero saber o que meu pai fez. Talvez eu não queira mesmo saber. Nunca falo com a minha mãe sobre isso. Mas acho que ele não cometeu atos realmente maus. Quando julgaram Saddam Hussein e todos que trabalhavam com ele, meu pai não reagiu. No final disse que eles mereciam a pena, que eles deviam ir para a prisão. Se tivesse feito algo horrível, ele não falaria isso, não acha? Prefiro não pensar. É muita informação. Você me fez lembrar muitos episódios da minha vida. Às vezes, conto aos amigos algo do passado e eles não acreditam. Dizem que não pareço alguém que teve esse tipo de experiência. Mas no fim das contas, é a minha vida, não é?

Odeio usar essa palavra, mas no Iraque eles são agora selvagens. As pessoas estão destruindo tudo o que era bom. Não compreendo. O modo como vivem, não posso ir à biblioteca ou ao mercado sozinha. As pessoas mudaram. Muitas deixaram o país. Eu espero verdadeiramente que um dia a gente possa lembrar as coisas boas que nossos antepassados fizeram.

Desculpe se eu falo muito e se sou negativa. Não sigo as notícias do Iraque. Só quando acontece uma explosão. Os políticos não ouço mais. Sabe, não adianta a gente querer que o melhor candidato vença. É tudo arranjado. Eles dão um jeito. E quem o povo acha que tem boas ideias não ganha a eleição. A única coisa que os políticos sabem fazer é mentir. Eles só mentem.

Um dos meus sonhos é reconstruir Bagdá como deve ser, respeitando a sua história, a civilização que começou com a Mesopotâmia. A nova geração merece uma vida melhor. Eles só precisam de quem os encoraje, quem lhes dê boas escolas, bons hospitais. Eu gostaria que a vida pudesse ser normal...

Achava que os americanos eram nossos inimigos, mas mudei de opinião. Você não tem ideia do que estamos passando na Síria ou no Iraque. Então se eu puder viver nos Estados Unidos e ter uma vida decente, não me importo com mais nada. O povo americano não me fez nada de mal. Talvez o governo George W. Bush, mas não o povo. Não quero mais viver num país árabe. Se eu for uma pessoa boa e bem-sucedida, os americanos vão gostar de mim e não vão se importar se eu vim da Síria ou do Iraque, não é? Eu não odeio os americanos porque eles são americanos nem os iraquianos porque são xiitas ou sunitas. Eu considero todos seres humanos, não importa de onde sejam.

Acho que eu deveria fazer terapia um dia. Acho que toda minha família precisa, todos os iraquianos [risos].

Hoje eu sei como a partir do Onze de Setembro tudo mudou na minha vida. Não tive escolha.

Eu estou tentando me concentrar nas emoções positivas, mas é difícil enterrar o passado. Às vezes você tem medo de que aconteça tudo de novo.

Talvez eu pertença mais à Síria do que ao Iraque. Saí de Bagdá aos treze anos. Hoje tenho 27. Vivi mais da metade da minha vida em Damasco. Eu amo a Síria, mas preciso ir embora.

Quero me mudar para um país normal. Viver pelo menos um ano num país sem guerra. Desejo criar novas memórias.

BAKER

Islamabad, Paquistão, março de 2019-Londres, Inglaterra, janeiro de 2020

Não sei se Osama bin Laden imaginou o impacto prolongado que teria o Onze de Setembro. Entrevistei o egípcio Hamid Mustafa, que no livro A Crusade in the Sky of Kandahar *[A cruzada no céu de Kandahar] cita uma entrevista com Osama em que ele diz que sabia que o Afeganistão seria atacado e que o Talibã perderia o poder. Mesmo antes do Onze de Setembro, o governo americano havia feito várias declarações que indicavam um possível ataque ao país para derrubar o Talibã e eliminar a Al-Qaeda. Bin Laden tinha a teoria de atrair os Estados Unidos e atacá-lo em território que os americanos desconhecessem. Mas não acredito que ele tenha imaginado que o Iraque seria invadido e muito menos que a presença das tropas americanas no Afeganistão durasse tanto tempo; algumas semanas e meses sim, mas nunca duas décadas.*

Quando volto e analiso a frase que os líderes de Al-Qaeda me disseram em junho de 2001, "Nas próximas semanas, [...] vamos atacar alvos americanos e israelenses", cada vez mais tenho a certeza de que Bin Laden só incluiu Israel porque mulá Omar, o líder Talibã, tinha sido muito claro com ele de que, enquanto a Al-Qaeda estivesse no Afeganistão, só poderia atacar Israel e nenhum outro país. Também acho que Bin Laden sabia que com uma referência a Israel tinha mais chance de ganhar a simpatia e o apoio de árabes e muçulmanos.

Analisei as declarações de Bin Laden e de Al-Zawahiri junto com uma equipe, de 2001 a 2008, período em que a Al-Qaeda divulgava fitas com as mensagens de seus líderes. Claramente, Bin Laden se considerava um líder político, e não apenas um militante.

Nesses últimos vinte anos, há uma mudança dos grupos tradicionais de militantes islâmicos. A Al-Qaeda quase desapareceu, res-

tando apenas uma força no Iêmen e uma no norte da África. Não conseguiu se recuperar da morte de um líder carismático como Bin Laden, perdeu a força. O Talibã se politizou; ainda que não tenha entregado as armas, está negociando com os americanos. O Talibã mudou muito. Hoje se vê como uma força política, que quer dividir o poder; que fala em aceitar os direitos das minorias, os direitos de mulheres, o que, há alguns anos, seria impensável. Não tem nada a ver com os movimentos islâmicos mais recentes, como o Daesh [Estado Islâmico], que é um grupo mais extremista, que não quer divisão de poder, nem dá espaço para negociar. Não é por acaso que tanto o Talibã quanto a Al-Qaeda condenam as ações do Estado Islâmico.

Depois do próprio Afeganistão, o Paquistão foi o país mais afetado pela guerra e a ocupação do país vizinho. Foi muito difícil para o Paquistão lidar com a situação...

Era impossível para qualquer presidente que estivesse liderando o Paquistão dizer "não" aos Estados Unidos e não se aliar à Guerra ao Terror. Mesmo assim Musharraf não precisava ter se precipitado e ter aceitado tudo o que os americanos queriam, podia ter sido mais cauteloso. O Paquistão entregou aos americanos o embaixador do regime do Talibã que tinha uma representação diplomática em Islamabad, contra todas as normas de imunidade da diplomacia internacional. Musharraf mudou do dia para a noite o chefe da inteligência, baniu grupos militantes, fez várias mudanças entre os militares. Não seria fácil controlar a situação. Essa mudança de 180 graus da política paquistanesa em relação ao Afeganistão, da noite para o dia, custou muito ao país, provocando uma reação entre as instituições, sobretudo entre os afegãos e os moradores das áreas tribais.

Se o país não tivesse um exército forte teria entrado em colapso, no caos completo, teria se transformado num Afeganistão. Só que com armas nucleares. Vencer a guerra contra o terrorismo dentro do Paquistão foi algo extraordinário. Digo isso honestamente porque vivi tudo isso. E isso só começou a acontecer de fato em 2014, treze anos depois de a guerra começar no Afeganistão, e depois de o Talibã paquistanês matar mais de 140 pessoas, crianças em sua maioria, num atentado contra a escola do exército em Peshawar. Depois do atentado, o governo e os militares foram realmente sem piedade contra os militantes do Talibã paquistanês, sem distinguir os bons e os maus talibãs, como faziam antes.

Mas o que mudou tudo foi de fato a presença de tropas americanas nessa região, a presença das tropas americanas e estrangeiras no Afeganistão. A Rússia não ficaria feliz, a China também não. O Irã muito menos. O Paquistão teria motivos para ficar preocupado. Não foi somente a guerra, mas a presença por tantos anos das tropas dos Estados Unidos e de uma política e uma estratégia que não deram certo. E quando não conseguiam o que queriam, os americanos aumentavam ainda mais o contingente militar. Os Estados Unidos trouxeram o caos para o Paquistão, o Afeganistão, o Iraque e ainda arrastaram a Síria e a Líbia. É um desastre atrás do outro.

Desde 2014, considero que nasci de novo e é por isso que comemoro meu aniversário duas vezes por ano. Claro que mudei. Um sequestro deixa marcas, mas há algo que os sequestradores não conseguiram tirar de mim: o amor à vida, o amor às pessoas. Cada vez amo mais a vida, as pessoas e a minha profissão. Mais e mais.

EHSAN UL-HAQ

Islamabad, Paquistão, dezembro de 2019

Você leu o Washington Post*? Os "Afghan Papers", 2 mil páginas de documentos oficiais que provam que o governo dos Estados Unidos mentiu durante dezoito anos ao seu próprio povo sobre a guerra no Afeganistão. Sabiam que estavam perdendo, mas divulgavam que estavam vencendo. Mentiram. No* Washington Post*, o jornalista enfatizava também o número de mortos. Cento e cinquenta e sete* *mil pessoas foram mortas no Afeganistão desde o Onze de Setembro. No Iraque, as estimativas são ainda piores, de 1 a 2 milhões, ninguém sabe ao certo. Aqui no Paquistão foram 70 mil em dezoito anos. Os Estados Unidos tiveram 3 mil mortos no dia 11 de setembro. Eles disseram que o mundo não seria mais o mesmo e saíram matando mais de 1 milhão de pessoas. É inacreditável.*

Os documentos das comunicações oficiais dos funcionários americanos a que o jornal teve acesso expõem os Estados Unidos completamente. Provam dezoito anos de mentiras. Qual a moral que o governo americano tem para acusar o Paquistão de ter feito jogo duplo ao longo de todos esses anos? E digo mais, o que está publicado no Washington Post *não é toda a verdade. Há muito mais.*

Eles estavam enganando o próprio povo. Diziam que estavam fazendo um trabalho fantástico, que os paquistaneses eram os maus, que ajudavam o Talibã, que estavam tendo sucesso na operação militar quando sabiam que não era verdade. Noventa por cento do fracasso no Afeganistão e da derrota americana têm a ver exclusivamente com os Estados Unidos, pelo amor de Deus. Não venham pôr a culpa no Paquistão.

Veja o que aconteceu. Não foi só o Afeganistão e o Iraque. É só olhar para a Líbia, o Sudão, a Síria, o Iêmen, é o caos.

Desestabilização em grande parte do Oriente Médio; o Afeganistão destruído; Iraque destruído; Síria destruída; Líbia destruída; Sudão? Dividido e destruído. No Irã e no Iêmen, turbulência. Terreno fértil para o crescimento de atores não estatais, para a radicalização.

Desde 2008, eu dizia aos nossos amigos americanos que eles deviam promover a reconciliação nacional e que, para promover a solução política, tinham que começar a retirar as tropas. E o que o governo do presidente Obama fez? Aumentou em 78% o contingente militar. Passaram de 34 mil para 100 mil soldados no Afeganistão. Demoraram mais de dez anos para colocar na mesa de negociações a retirada das tropas.

Todos os países da região querem estabilidade no Afeganistão e ninguém quer a presença americana aqui. Talvez a única exceção seja a Índia. Mas os iranianos, os russos, os chineses, os governos da Ásia Central sabem que o que acontece no Afeganistão afeta todos os vizinhos. Nós não queremos mais instabilidade pois fomos os mais atingidos. Os americanos pensam que os chineses ou os russos querem entrar no Afeganistão? Ninguém quer. O que todo mundo quer é um país estável que não seja um problema para os vizinhos.

A Rússia voltou à cena. A China é uma potência, e os Estados Unidos lutam para manter a sua influência global. O período pós-Onze de Setembro está acabando, ou melhor, o período pós-Guerra Fria tem os dias contados.

Eles nunca se importaram com os nossos mortos, nunca reconheceram o nosso sacrifício. Os Estados Unidos tiveram um Onze de Setembro, já o nosso Onze de Setembro, com mais de 70 mil mortos, ainda não terminou.

AHMER

Mingora, Paquistão, dezembro de 2019

Se o Onze de Setembro não tivesse acontecido, o Afeganistão não teria sido invadido, o Paquistão não teria lutado ao lado dos Estados Unidos, eu não teria me envolvido, não estaria aqui agora.

Eles falam em direitos humanos. Mas eles respeitam os direitos humanos no Afeganistão? As tropas americanas e da Otan destruíram os direitos humanos dos afegãos.

Mudei a maneira de encarar as mulheres. Antes eu olhava para baixo quando via uma mulher, agora olho diretamente em seus olhos.

Qual é a sua opinião sobre os muçulmanos? Por que fazem cartuns na Dinamarca difamando o profeta? Por que o Facebook bane os perfis de quem fala de Hitler e não bane os perfis de quem desrespeita a nossa religião? Consegue me explicar?

A maioria das pessoas hoje no mundo acha que só os muçulmanos é que são terroristas. Hitler matou 6 milhões, não é um terrorista? Os Tamil Tigers não mataram também? Mas os muçulmanos são culpados de tudo. No ataque contra a mesquita na Nova Zelândia, disseram que o homem branco sofria de doença mental, não diziam que era terrorista. Se for um muçulmano, é extremista. Se for branco, é doente. Por quê?

Não vou embora do Paquistão. Não penso nisso. Por que eu iria para outros países se tenho tanto o que fazer aqui? Os outros países já têm quem os ajude.

Eu gosto de filosofia. Sócrates era bom, mas Platão era melhor que Sócrates, certo? Aristóteles era melhor que Platão...

A minha estratégia é pensar positivo. Quando você pensa positivo, as ações são positivas, as consequências serão positivas. Simples assim. Penso com cuidado. Não sobre o futuro. Se você ficar pensando sempre no futuro ou no passado, você desperdiça o presente. Eu penso e foco no presente e assim tudo vai acontecer de modo gradual e a seu tempo.

Gostei da nossa conversa, de ter podido expressar minhas opiniões. Fiquei à vontade. Nunca fiz perguntas assim a uma estrangeira ou a um estrangeiro. Estou mesmo feliz.

Quando eu era criança, sonhava que algo bom aconteceria na minha vida. Fui para Sabaoon e o meu sonho virou realidade. Se sou capaz de me expressar agora e falar com você é por causa de Sabaoon.

Sou alguém que está motivando os outros. Não choro. Se eu não for forte, não serei um exemplo. Nunca vou chorar. As pessoas me mandam e-mails e mensagens porque eu mudei, não sou mais o mesmo do passado.

FERIHA

Lahore, Paquistão, dezembro de 2019

Ahmer mudou um pouco a história ao longo do tempo. Primeiro me disse que não teve coragem de se explodir quando viu as pessoas prostradas rezando. Depois disse que assim que os terroristas o deixaram na mesquita, ele foi à procura de um lugar com menos gente rezando ao seu redor. Tinha acabado de deixar a pistola e a granada no chão para começar a desativar a bomba quando o viram e o cercaram.

Não me importo que Ahmer tenha mudado a sua versão do que aconteceu no momento em que se rendeu. Está provado que é normal inventar histórias. Muitos mentem a idade. Temos que tentar analisar.

Ahmer sofreu durante muito tempo de síndrome de estresse pós-traumático. Eu não sei como me sentiria no lugar dele. Lembre-se de que ele tinha treze anos. Tente se colocar no lugar dele. Você não tem nada e você está olhando para o outro lado do muro onde todos têm tudo. É natural que você queira pertencer ao outro lado.

Ele é inteligente. Logo percebeu que os terroristas eram hipócritas e que usavam a religião como uma desculpa para matar pessoas, inclusive outros muçulmanos como os xiitas. Ficou confuso e quis sair. Ouvimos falar muito dos homens-bomba que se explodiram, mas esquecemos que muitas crianças se entregaram. Não tiveram coragem. Os talibãs escolhiam justamente os mais jovens por ser mais fácil doutriná-los e os iludirem a achar que estavam mesmo fazendo o bem, e não o mal.

Ahmer está bem, está reintegrado, está trabalhando. Casou-se. Já não o vejo há uns dois anos, mas o importante é que ele conseguiu sobreviver a tudo isso, e quando digo sobreviver não é só física, mas psicologicamente. Então não faz a menor diferença o que aconteceu de fato na hora da sua rendição. A verdade não importa. Ele está tentando sobreviver.

Epílogo

Os relatos de *O vento mudou de direção* são baseados nas entrevistas que fiz com os sete protagonistas ao longo de dois anos. Nossos encontros aconteceram entre março de 2019 e janeiro de 2020, em Islamabad, Lahore, vale do Swat, Nova Jersey, Filadélfia, Londres e Viena. Por causa da pandemia da Covid-19, todas as nossas conversas, entre março de 2020 e março de 2021, passaram a ser por telefone e através de videoconferência.

Gena foi a exceção. Duas vezes marcamos de nos encontrar em Beirute para onde ela viajaria de carro desde Damasco, na Síria. Mas devido à onda de protestos no Líbano, no final de 2019, e à pandemia, em 2020 e 2021, precisamos adiar os nossos encontros presenciais. O fato de eu conhecer a Síria me ajudou nas nossas conversas virtuais, que foram mais numerosas do que as com os demais protagonistas. Já Faleeha Hassan foi a única entrevistada que descobri por meio de pesquisas na internet. Desde que a conheci fiquei pensando se alguma vez Gabriel García Márquez imaginou que os seus livros fossem sussurrados de ouvido em ouvido no Iraque de Saddam Hussein. A última vez em que nos falamos ela me contou que assinou um contrato com a Amazon e que vai publicar as suas memórias em 2023.

Em março de 2019, quando cheguei a Sabaoon, no vale do Swat, com um grupo de quase quarenta estrangeiros e paquistaneses, foi difícil conter a emoção diante do efeito perverso do terrorismo em crianças. Nesse dia, conheci Feriha Peracha e, nos nove meses seguintes, tentei convencê-la a me deixar falar com um dos jovens reintegrados ou em processo de reintegração. Mesmo concordando, Feriha tinha muitas reservas. Por diversas vezes me disse que não costumava permitir que jornalistas falassem com os estudantes. Não só para proteger a identidade deles e não comprometer a sua segurança, mas pelo risco de expô-los ao trauma de reviver um passado que querem esquecer. "Não é fácil para eles voltar ao passado", afirmou Feriha.

Em dezembro de 2019, viajei até o vale do Swat e, durante dois dias, entrevistei três jovens que haviam sido treinados em campos do Talibã paquistanês. Dois tinham sido presos. Um se entregara. A decisão de concentrar as três histórias num só protagonista foi tomada para não colocar em risco a segurança dos jovens que hoje estudam e trabalham, reintegrados na sociedade. Ahmer não é o nome verdadeiro de nenhum deles. Nem eu sei seus nomes reais, já que usaram nomes fictícios durante as entrevistas, que foram realizadas na presença do psicólogo responsável pelo centro de monitoramento da ONG SWAT Paquistão.

Essas três entrevistas foram as mais difíceis que fiz para *O vento mudou de direção*. Lembro de como tentei sair da pele de jornalista para deixá-los o mais à vontade possível. Se há algum consolo é a lembrança do sorriso de "Ahmer", ao se despedir dizendo que se sentia feliz por ter conversado comigo. Mas até hoje temo que, sem perceber, possa tê-los feito reviver episódios traumáticos que teriam preferido enterrar. Nem tudo o que está escrito nestas páginas eles tiveram coragem de me revelar. Por isso também foi importante visitar, nessa mesma viagem, o centro de monitoramento para conversar com a equipe de psicólogos que me ajudou a compor o retrato completo dos jovens.

O centro permanece com seu trabalho de reintegração, mas Sabaoon não existe mais. As instalações passaram a abrigar uma universidade para mulheres.

Feriha Peracha deixou de atender pacientes no consultório de Lahore. Começou um projeto-piloto de prevenção contra o terrorismo em escolas do país. A primeira etapa envolveu setecentos jovens. Hoje ela tem a certeza de que não só nenhum dos meninos a mataria, como a salvariam se corresse perigo.

Um dos estrangeiros que estavam comigo no dia em que visitei Sabaoon era o jornalista Baker Atyani. Conheci Baker dias antes num ônibus, em Islamabad, durante um intenso seminário de uma semana sobre segurança e terrorismo. Eu queria aproveitar a viagem ao Paquistão para falar com Hamid Mir, o jornalista que fora o último a entrevistar Osama bin Laden. Pedi ajuda a Baker quando, com o seu tom de voz baixo e muito calmo, me disse que ele próprio fora o último a entrevistar Bin Laden antes do Onze de Setembro. No fim da viagem, Baker mencionou o sequestro e como havia nascido de novo. Acabei entrevistando os dois jornalistas, mas não tive dúvidas de que o protagonista da história que eu achava importante escrever seria Baker.

Em 2005, eu havia atravessado o Passo Khyber, a passagem conhecida como terra de ninguém entre o Paquistão e o Afeganistão, que, na época, era controlado por líderes tribais. Um jornalista precisava de uma permissão especial, já que as autoridades paquistanesas não controlavam a região. Eu me disfarcei de local, vestida com as roupas da região e viajei com uma família de Peshawar. No caminho, parei no mirante de Michini para observar o horizonte: as montanhas do lado afegão que abrigam as cavernas de Tora Bora, onde Osama bin Laden se escondeu, ficam a apenas 120 quilômetros. Quando cheguei à fronteira, entrei a pé no Afeganistão sem precisar mostrar qualquer tipo de documento. Vi de perto como era fácil passar de um país para o outro, no posto de Thorkam, um dos mais movimentados da fronteira de 2 500 quilômetros, naquele tempo, completamente aberto e sem controle.

Entrevistei duas vezes o general Ehsan Ul-Haq. Havia lido tantos livros sobre o jogo da espionagem e a relação tempestuosa entre Paquistão e Estados Unidos que me pareceu importante poder falar com o antigo chefe da espionagem paquistanesa, que tinha sido nomeado justamente quando os Estados Unidos esperavam capturar Osama bin Laden.

A frase que melhor resume as acusações de jogos duplos na relação entre Islamabad e Washington, os dois supostos aliados, é de um antigo alto funcionário do governo paquistanês que entrevistei, mas que prefere não ser identificado: "quem não faz jogos duplos?".

Decidi utilizar apenas os nomes completos de quem é uma figura pública, como a poeta Faleeha Hassan, o general Ehsan Ul-Haq e o jornalista Baker Atyani. No caso dos outros três protagonistas, omiti os seus sobrenomes e mudei a grafia de alguns nomes.

A primeira vez em que falei com Rafi por telefone foi para pedir que me apresentasse afegãos que quisessem contar sua história. Mas quando, meses depois, me despedi de Rafi e do filho dele, na porta de uma lanchonete do McDonald's no centro de Viena, não tive dúvidas de que ele seria um dos protagonistas deste livro. Passara a tarde inteira ouvindo Rafi se emocionar me dando os detalhes da sua viagem de fuga enquanto o filho jogava videogame.

Conheci Gawhar nessa mesma viagem, no último dezembro antes da pandemia. Passamos dois dias falando sem parar entre almoço, lanche, chá, chocolate quente e até vinho quente para espantar o frio num dos tradicionais mercados de Natal de Viena. Ela representa o sentimento dos jovens afegãos que fogem do seu país em busca de um futuro na Europa. Setenta por cento da população afegã tem menos de 25 anos. A maioria tinha apenas cinco anos ou nasceu durante os anos da ocupação liderada pelos americanos. Não conhece outra realidade. Rafi fugiu do Talibã. Gawhar fugiu da ocupação. Estão todos em fuga.

IRAQUE E SÍRIA

Controle do Estado Islâmico

5 jan. 2015 | 5 jan. 2018

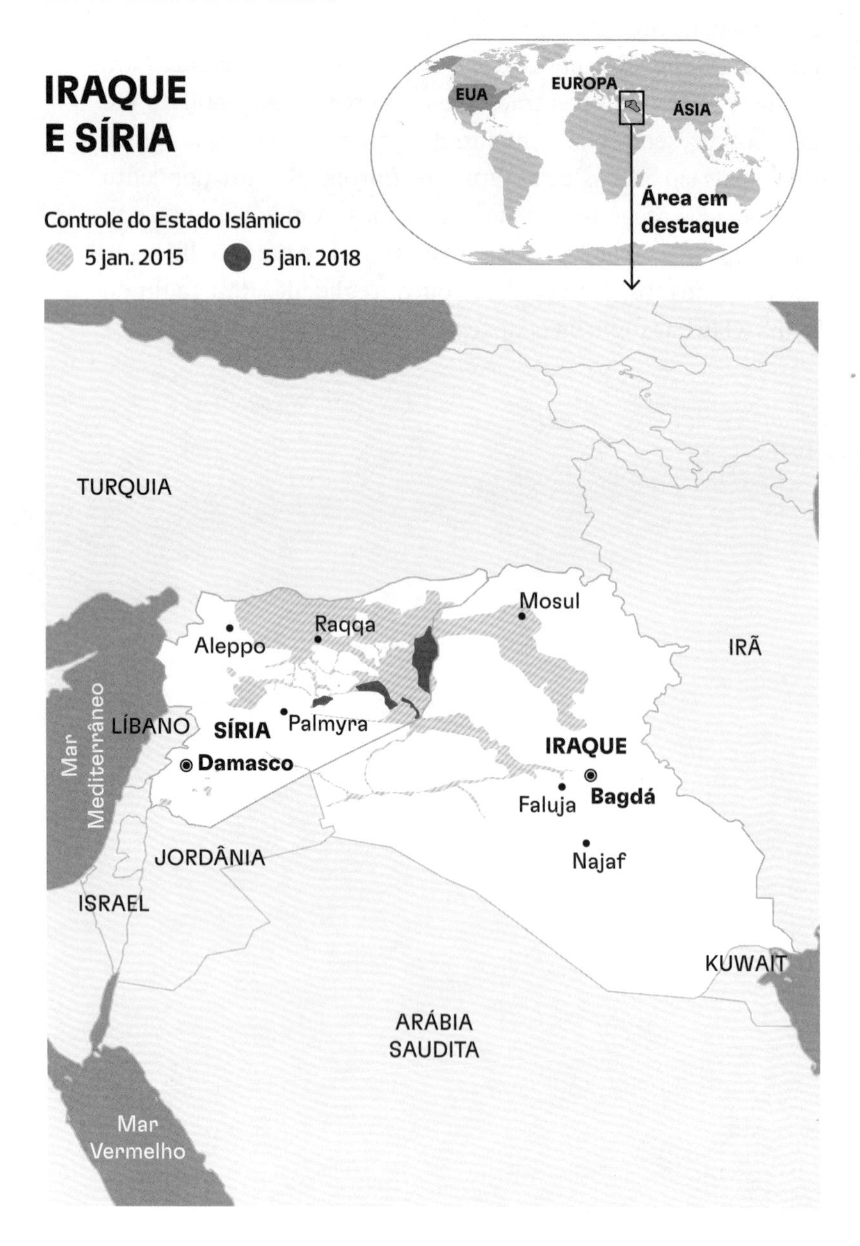

AFEGANISTÃO E PAQUISTÃO

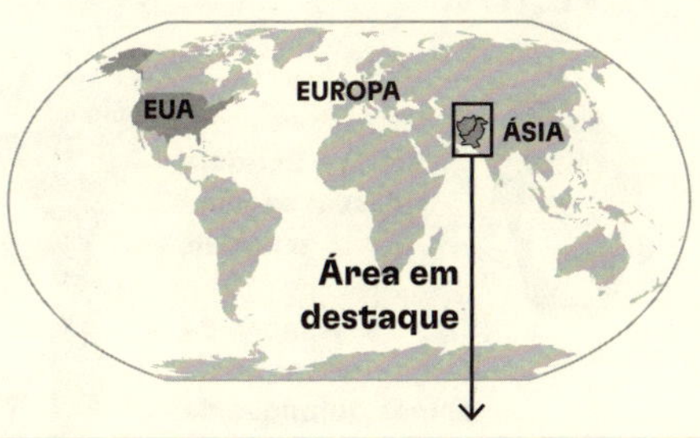

IRAQUE

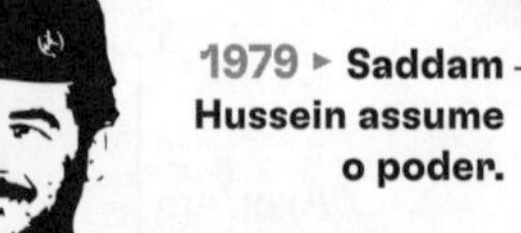

1979 ▸ **Saddam Hussein assume o poder.**

1980-88 ▸ Guerra Irã-Iraque.

1988 ▸ **Massacre de Halabja — Ataque de armas químicas de Saddam Hussein contra curdos mata 5 mil pessoas em um único dia.**

1990

1991 ▸ **Primeira Guerra do Golfo.**

Fev: EUA e aliados vencem a Guerra do Golfo.

Jun: Primeira inspeção de armas químicas da ONU no Iraque.

1992 ▸ Aliados criam as zonas de exclusão aérea.

1995 ▸ ONU cria programa que permite que Iraque troque petróleo por comida.

1998 ▸ Iraque deixa de cooperar com inspetores de armas químicas da ONU. Americanos e britânicos bombardeiam supostas instalações de armas químicas iraquianas.

2000

2002 ▸ Presidente **George W. Bush** afirma que Iraque representa um grande perigo.

2003 ▸ **Mar:** **EUA lideram nova guerra contra o Iraque alegando que o país possui armas químicas.**

Abr: A guerra provoca a divisão do país e a luta entre diferentes facções pelo poder. Museu Nacional do Iraque é saqueado.

Ago: Atentado contra a sede da ONU mata o brasileiro Sergio Vieira de Mello, e outras 21 pessoas.

Dez: **Saddam Hussein é capturado em Tikrit.**

2004 ▸ **Jan:** **Governo americano admite que Saddam não tinha armas químicas quando EUA começaram a invasão no Iraque.**

Mar: A Al-Qaeda no Iraque começa campanha de ataques suicidas em Karbala.

Abr: **Fotos de prisioneiros revelam abusos e tortura que soldados americanos cometiam na prisão de Abu Ghraib.**

Jun: EUA devolvem a soberania do país aos iraquianos.

Nov: Ofensiva militar americana em Faluja contra insurgentes pró-Saddam.

2006 ▸ **Jun:** Bombardeio americano mata líder da Al-Qaeda no Iraque.
Out: Al-Qaeda no Iraque passa a se chamar Estado Islâmico do Iraque.
Nov: Saddam Hussein é condenado à morte.
Dez: **Saddam Hussein é executado por crimes contra a humanidade.**

34 mil civis mortos em atentados e ataques a bomba em 2006, segundo a ONU.

2010

2011 ▸ Retirada total das tropas americanas encerrando sete anos de ocupação militar.

2013 ▸ **Estado Islâmico do Iraque e do Levante (ISIS) assume ataques a bomba contra os curdos em Erbil. O ISIS nasce do que restou da Al-Qaeda do Iraque.**
Out: Violência sectária explode no país.

2014 ▸ **Jan:** Al-Qaeda rompe com o Estado Islâmico (EI).
▸ EI ressurge ainda mais violento, as decapitações são filmadas e compartilhadas pelas redes sociais.
▸ O EI ocupa Mosul e outras cidades iraquianas e anuncia o califado na Síria e no Iraque.
▸ EUA lideram campanha com mais de 8 mil ataques aéreos contra o Estado Islâmico. O EI controla um terço da Síria e 40% do território iraquiano.

2017-18 ▸ O Estado Islâmico perde 95% do território. O presidente americano Donald Trump declara vitória contra o EI.

2019 ▸ Quatrocentos mortos em protestos contra o desemprego e a corrupção em várias cidades.

AFEGANISTÃO

1979 ▸ Tropas soviéticas invadem o Afeganistão em apoio ao governo comunista. O país se torna palco da Guerra Fria entre a União Soviética e os Estados Unidos.

1980

1980-05 ▸ Combatentes muçulmanos de países árabes viajam para o Paquistão e formam uma aliança contra as tropas soviéticas. São os mujahidins, e Osama bin Laden é um deles.

1988-89 ▸ Os soviéticos são derrotados. As tropas soviéticas deixam o Afeganistão. Osama bin Laden também. Com o fim da Guerra Fria, os Estados Unidos se desinteressam pela região.

1992 ▸ Os mujahidins derrubam o governo comunista no Afeganistão e o país entra em guerra civil, dividido entre grupos armados liderados pelos chamados senhores da guerra, entre eles a Aliança do Norte.

1990

Anos 1990 ▸ Os talibãs, jovens estudantes de escolas religiosas, formam a milícia Talibã, prometendo o fim da corrupção, do crime organizado e do caos que se instalara no Afeganistão.

1996 ▸ **Mai: Osama bin Laden** é expulso do Sudão, onde se refugiara, e volta ao Afeganistão.
Ago: A Al-Qaeda, organização extremista liderada por Osama bin Laden, declara Guerra Santa (Jihad) contra os Estados Unidos.
Set: O Talibã toma a capital Cabul e assume o poder, dominando 90% do território; assim começa a governar o país impondo a sua visão extremista do Islã.

1998 ▸ Depois dos atentados às embaixadas americanas no Quênia e Tanzânia, os Estados Unidos lançam mísseis contra campos de treinamento da Al-Qaeda no Afeganistão.

1999 ▸ A ONU impõe embargo aéreo e sanções econômicas contra o Afeganistão exigindo que o governo Talibã entregue Osama bin Laden para ser julgado.

2001 ▸ **Ataque terrorista suicida da Al-Qaeda contra o World Trade Center e o Pentágono.**
Out: Começa a Guerra ao Terror.
Dez: Talibã bate em retirada. Americanos bombardeiam a região de Tora Bora, mas Osama bin Laden escapa.

2002-06 ▸ Os americanos inundam o Afeganistão de dinheiro para quem quer que se oponha ao Talibã, privilegiando os senhores de guerra de outrora.

2003-08 ▸ O Talibã se reagrupa e começa a atacar as tropas estrangeiras de ocupação. Em 2006, o país registra 139 ataques suicidas, número seis vezes maior do que no ano anterior.

2006-13 ▸ O EI, grupo extremista que surge contra a ocupação americana no Iraque, começa a atuar no Afeganistão.

2010 ▸ O presidente **Barack Obama** aumenta o contingente militar para 100 mil soldados. Com 3 346 atentados em um ano, o Afeganistão bate o recorde de ataques terroristas.

2011 ▸ As tropas especiais americanas matam **Osama bin Laden** no Paquistão.

2019 ▸ O *Washington Post* publica os "Afghan Papers" — 2 mil documentos que provam dezoito anos de mentiras de altos funcionários do governo dos Estados Unidos para esconder o fracasso militar no Afeganistão, uma guerra que sabiam estar perdida.

2020 ▸ O Talibã e os Estados Unidos assinam acordo que prevê a retirada das tropas americanas.

2021 ▸ O presidente americano Joe Biden anuncia a retirada total das tropas americanas para 11 de setembro de 2021. **A guerra no Afeganistão é a mais longa da história americana.**

PAQUISTÃO

1999 ▸ O general **Pervez Musharraf** toma o poder por meio de um golpe militar.

2000

2000 ▸ Musharraf se autoproclama presidente, mas mantém a chefia das Forças Armadas.

2001 ▸ **Out: O Paquistão se alia aos Estados Unidos na Guerra ao Terror** e permite que os americanos usem suas bases para atacar o Talibã e a Al-Qaeda.
Dez: Os americanos bombardeiam Tora Bora. Militantes da Al-Qaeda e membros do Talibã fogem para as áreas tribais do Paquistão.

2003-04 ▸ O Exército paquistanês faz campanha militar nas áreas tribais, na fronteira com o Afeganistão.

2007 ▸ **Nasce o Talibã paquistanês**, uma reação contra o Exército paquistanês e contra os Estados Unidos pela Guerra ao Terror.
Jul: O Exército paquistanês toma de assalto a Mesquita Vermelha em Islamabad, onde estavam estudantes e militantes pró-Talibã. O assalto provoca uma onda de atentados pelo país.

2007-09 ▸ O Talibã paquistanês ocupa o vale do Swat.

2007-14 ▸ O Talibã comete atentados suicidas e ataques a bomba por todo o país em alvos militares, religiosos e civis.

2008 ▸ **O ataque suicida no Hotel Marriott de Islamabad mata 53 pessoas.** O governo lança ofensiva militar e mata mil militantes nas áreas tribais.

2009-10 ▸ O presidente **Barack Obama** intensifica ataques com drones nas áreas tribais.

2010

2011 ▸ **Osama bin Laden** é capturado e morto pelas forças especiais americanas no Paquistão.

2014 ▸ Talibã paquistanês ataca escola do exército em Peshawar matando 132 estudantes.

2015 ▸ Governo do Paquistão cria plano de ação nacional e reinstaura a pena de morte. Exército começa operação militar massiva contra terroristas nas áreas tribais.

2018 ▸ Áreas tribais passam oficialmente a fazer parte da província paquistanesa de Khyber Pakhtunkhwa e a se submeter às leis do país.

Agradecimentos

"Você não me conhece, mas já ouviu a minha voz." Foi assim que me apresentei à editora Rita Mattar numa noite em outubro de 2017 num bar em São Paulo, cujo nome não recordo. Ela logo disse que este poderia ser o título de um livro se algum dia eu escrevesse sobre os atentados de Onze de Setembro.

A agente literária Lucia Riff desconhecia este encontro. Mas quando sugeriu que mostrássemos o livro à Rita, que estava lançando uma nova editora, junto com a Fernanda Diamant e o Luís Francisco Carvalho Filho, preferi acreditar que não se tratava de coincidência ou acaso.

Agradeço à Rita e à Fernanda por terem abraçado este livro como um filho querido. À Fernanda, pela edição rigorosa, cuidadosa e generosa sempre em busca do melhor texto para o leitor. À Rita, por pensar em tudo e dissipar as minhas dúvidas. À Juliana Rodrigues e a todos da Fósforo pela belíssima edição. À Beatriz Reingenheim por espalhar pelos quatro cantos que o livro vale a pena ser lido.

Ao longo deste projeto contei com a ajuda de várias pessoas de diversos países. Nos Estados Unidos, um agradecimento à Anemary Soares, que sugeriu que eu entrevistasse Faleeha Hassan, e à Kathy Cable, ao Chaim Litewski e ao Charlie Lyons, por acreditarem na importância de esta história ser publicada para o público americano.

À austríaca Iris Adrowitzer, que me introduziu na comunidade afegã na Áustria.

À síria Alaa Alhariri, por me apresentar Gena.

Ao Shahid Mahmud, o primeiro a me abrir as portas do Paquistão. À Feriha Peracha, ao Muhammad Saifullah Qureshi e a toda a equipe de psicólogos e assistentes sociais da ONG SWAT Paquistão por me guiarem pelo meticuloso trabalho de monitorar a reintegração de crianças e jovens que sobreviveram ao extremismo. Ao professor da Universidade de Nova York, Zeb Taintor, por compartilhar comigo, durante um longo almoço em Lahore, a sua perspectiva sobre o trabalho de desradicalização desenvolvido pela ONG de Feriha.

Ao Khalid Khan e sua equipe, à Asma Ayub e à Syeda Mahwash Kazmi, pela ajuda durante a minha viagem pelo seu país. Ao jornalista Hamir Mir, o último a entrevistar Osama bin Laden, por ter me recebido, ainda que seja apenas citado no livro.

Ainda no Paquistão, um agradecimento especial ao jornalista Rahimullah Yusufzai, um dos mais respeitados do país, que entrevistou duas vezes Osama bin Laden e doze vezes mulá Omar, líder do Talibã. Nossa longa conversa em Peshawar foi essencial para entender as sutilezas, o contexto e as implicações dos países envolvidos, principalmente o seu. Um agradecimento também ao embaixador e ex-ministro de Relações Exteriores do Paquistão, Riaz Khokhar.

Aos amigos que tiveram paciência comigo ao longo dos últimos dois anos e meio. Se fosse citar todos, não haveria páginas suficientes. Assim, agradeço aqui às pessoas que mais diretamente se envolveram com o projeto.

À Tereza Uchoa, ao Marcos Uchoa, à Sónia Nunes e à Adriana Calcanhotto, que me incentivaram a dar o pontapé inicial. No caso do Marcos e da Adriana, também agradeço os textos tão generosos que escreveram sobre o livro.

Ao Jonathan Cave, que, numa conversa de três horas sobrevoando os céus do Paquistão, me fez ver que eu não tinha outro caminho senão escrever este livro.

À Marli Monteiro, por me arranjar um sítio tranquilo para escrever no momento em que eu mais precisava de retiro. À Isabel Coutinho, pelo apoio e amizade.

À Alexandra Prado Coelho, que foi a minha primeira leitora e aturou as minhas ansiedades e apaziguou as minhas inseguranças de escritora iniciante.

À Maria José Sarno, à Maria Caldas, à Lígia Santos e aos professores da Universidade de Coimbra, Clara Almeida Santos e José Bernardes, por terem lido os capítulos iniciais do livro e terem me incentivado a continuar quando eu ainda não tinha certeza se estava na direção certa.

Ao João Moreira Salles e ao Pedro Bial, por terem lido e escrito textos tão contundentes sobre o livro.

Ao Gustavo Barbosa, por ter sido o meu leitor mais assíduo e amigo de todas as horas nesta aventura que é escrever pela primeira vez um livro. Sem a sua leitura atenta e a sua amizade, teria sido tudo muito árduo.

Ao meu irmão Marcelo Costa Duarte, por ser um leitor rigoroso e me apoiar incondicionalmente em tudo o que faço.

Ao meu pai Saturnino Duarte (in memoriam), por ter sempre incentivado as minhas viagens rumo ao desconhecido.

À minha mãe Norma Costa Duarte, que além de ser uma leitora atenta aos detalhes foi a mulher que me ensinou a amar os livros.

Ao Wali Mohammad Yusufzai, o afegão que rodopiou num salão de Viena agarrado à sua vassoura, por ter me contado a sua história. A lembrança do seu olhar, da sua angústia, do seu sofrimento e da sua sinceridade me comove até hoje. Sinto não lhe ter dado o espaço que seu relato merecia.

Ao Rafi, à Gawhar, à Gena, ao Ahmer, à Faleeha Hassan, ao Baker Atyani e ao Ehsan Ul-Haq por terem a coragem de se expor e me confiarem suas histórias. Sem eles, *O vento mudou de direção* não existiria.

Leituras adicionais

ABBAS, Hassan. *Pakistan's Drift into Extremism: Allah, the Army, and America's War on Terror*. Nova York: An East Gate Book, 2005.

AL-RAID, Nuha. *Baghdad Diaries: A Woman's Chronicle of War and Exile*. Nova York: Vintage, 2003.

BOUVIER, Nicolas. *O mundo, modo de usar*. Lisboa: Tinta da China, 2019.

BURKE, Jason. *Al-Qaeda: Casting a Shadow of Terror*. Londres: I.B. Tauris, 2003.

______. *The New Threat: The Past, Present, and Future of Islamic Militancy*. Nova York: The New Press, 2017.

COLL, Steve. *Directorate S: The CIA and America's Secret Wars in Afghanistan and Pakistan*. Nova York: Penguin Books, 2018.

______. *Ghost Wars: The Secret History of the CIA, Afghanistan, and Bin Laden, from the Soviet Invasion to September 10, 2001*. Nova York: Penguin Books, 2004.

FISK, Robert. *The Great War for Civilisation: The Conquest of the Middle East*. Nova York: Alfred A. Knopf, 2005.

GARCÍA MÁRQUEZ, Gabriel. *O outono do patriarca*. Rio de Janeiro: Record, 1976.

HASSAN, Faleeha. *Breakfast for Butterflies*. Nova Jersey: Inner Child Press, 2018.

______. *Mass Graves*. Nova Jersey: Inner Child Press, 2017.

______. "When I drink tea in New Jersey". In: *Art of My Transformation: Poetry by Faleeha Hassan.* Filadéfia: Moonstone Press, 2018.

______. "Wish". In: *We grow up at the speed of War.* Carolina do Norte: Lulu.com, 2016.

MURSHED, S. Iftikhar. *Afghanistan: The Taliban Years*. Londres: Bennett & Bloom, 2006.

MUSEUM OF MODERN ART PS1 (Queens, NY). *Theater of Operations: The Gulf Wars, 1991-2011*. Nova York: Catálogo, 2019.

PAPE, Robert A.; FELDMAN, James K. *Cutting the Fuse: The Explosion of Global Suicide Terrorism and How to Stop it*. Chicago: The University of Chicago Press, 2010.

RASHID, Ahmed. *Taliban: Militant Islam, Oil and Fundamentalism in Central Asia*. New Haven: Yale University Press, 2010.

RIVERBEND. *Baghdad Burning II: More Girl Blog from Iraq*. Baltimore: The Feminist Press at the City University of New York, 2006.

THE 9/11 Commission Report: Final Report of the National Commission on Terrorist Attacks upon the United States. Featured Commission Publications, 22 jul. 2004.

WRIGHT, Lawrence. *The Looming Tower: Al-Qaeda and The Road to 9/11*. Nova York: Vintage Books, 2011.

A marca FSC® é a garantia de que
a madeira utilizada na fabricação
do papel deste livro provém de
florestas gerenciadas de maneira
ambientalmente correta, socialmente
justa e economicamente viável e de
outras fontes de origem controlada.

EDITORAS Rita Mattar, Fernanda Diamant e Juliana de A. Rodrigues
ASSISTENTE EDITORIAL Mariana Correia Santos
PREPARAÇÃO Adriane Piscitelli
REVISÃO Geuid Dib Jardim e Paula B. P. Mendes
MAPAS E LINHAS DO TEMPO Mario Kano
PRODUÇÃO GRÁFICA Jairo da Rocha
CAPA Claudia Warrak
IMAGENS DE CAPA Gulnara Samoilova/AP Photo/Imageplus e FARSHAD USYAN/AFP
PROJETO GRÁFICO DO MIOLO Alles Blau
EDITORAÇÃO ELETRÔNICA Página Viva

Dados Internacionais de Catalogação na Publicação (CIP)
(Câmara Brasileira do Livro, SP, Brasil)

Duarte, Simone
O vento mudou de direção : o Onze de Setembro que o mundo não viu / Simone Duarte. — São Paulo : Fósforo, 2021.

ISBN: 978-65-89733-28-7

1. Afeganistão — História 2. Al-Qaeda (Organização) 3. Ataques terroristas de 11 de setembro — Nova York (N.Y.) 4. Iraque — História 5. Paquistão — História 6. Relatos pessoais 7. Repórteres e reportagens I. Título.

21-76214 CDD – 070.449303625

Índice para catálogo sistemático:
1. Ataques terroristas de 11 de setembro de 2001 : História : Jornalismo 070.449303625

Cibele Maria Dias — Bibliotecária — CRB/8-9427

Editora Fósforo
Rua 24 de Maio, 270/276, 10º andar, salas 1 e 2 — República
01041-001 — São Paulo, SP, Brasil — Tel: (11) 3224.2055
contato@fosforoeditora.com.br / www.fosforoeditora.com.br

Este livro foi composto em GT Alpina
e GT Flexa e impresso pela Ipsis
em papel Pólen da Suzano para a
Editora Fósforo em agosto de 2021.